COURS

D'ANALYSE GRAMMATICALE

MAURICE GREVISSE

DOCTEUR EN PHILOSOPHIE ET LETTRES

COURS

D'ANALYSE

GRAMMATICALE

SEPTIÈME ÉDITION

ÉDITIONS J. DUCULOT, S. A., GEMBLOUX

Toutes reproductions ou adaptations
d'un extrait quelconque de ce livre par quelque procédé
que ce soit et notamment par photocopie ou
microfilm, réservées pour tous pays.

© Éditions J. Duculot, S.A., B-5800 Gembloux
(Imprimé en Belgique sur les presses Duculot.)

D. 1968, 0035.10

ISBN 2-8011-0016-1

AVANT-PROPOS

On déplore couramment la « crise du français », le « péril de la syntaxe », la « faillite de l'orthographe ». Mettons que ces expressions sont un peu fortes ; il n'empêche qu'il est nécessaire, indispensable, d'apprendre à nos élèves à mieux parler et à mieux écrire le français, et en particulier à mieux mettre l'orthographe. Or il n'est pas douteux qu'on ne doive, pour cela, leur enseigner systématiquement la grammaire et que, dans le programme de grammaire, on ne doive faire à l'analyse, dans les classes inférieures, une belle et large place.

Savoir discerner, à première vue, dans une phrase, le verbe, le sujet, l'attribut, le complément d'objet et les autres compléments, sous quelque forme qu'ils se présentent, savoir délier cette phrase et y reconnaître, d'un regard prompt et sûr, la nature et l'agencement des propositions avec les liens qui, chacun à sa manière, les tiennent ensemble : qui ne voit que c'est une des manières les plus efficaces non seulement d'apprendre l'orthographe, mais encore de s'initier à une sorte de philosophie du langage et de saisir les nuances si variées de l'expression des pensées et des sentiments ?

Est-il besoin d'ajouter qu'il serait vain de vouloir entreprendre l'étude du latin et du grec si l'on n'est pas rompu à l'analyse des mots et des propositions ?

Il n'est pas inutile peut-être de rendre raison, sommairement, de la terminologie dont on a fait usage dans le présent manuel. C'est très exactement celle qu'impose le **Code de Terminologie grammaticale** *publié par le Ministère belge de l'Instruction publique. Sans doute certaines façons de concevoir et de nommer les faits grammaticaux prêteraient bien à discussion, mais, pour le bien des études, il est hautement souhaitable, on en conviendra, que la nomenclature grammaticale soit uniforme, si l'on admet* *qu'en cette matière, mieux vaut suivre la voie ferme de la discipline générale que de s'aventurer sur la pente, parfois glissante, des opinions neuves et trop originales.*

On a délibérément abandonné, dans ce manuel, la distinction traditionnelle entre « analyse grammaticale » et « analyse logique » : il n'y a qu'une seule et même analyse, qui a pour objet d'indiquer la nature et la fonction des divers éléments de la phrase ; ces éléments sont des mots, *dans la phrase simple, et des* propositions, *dans la phrase composée.*

M. G.

AVERTISSEMENT
de la 6e édition (1961)

Ce **Cours d'Analyse grammaticale,** *remanié, a été mis en harmonie avec le* **Code de Terminologie grammaticale** *du Ministère belge de l'Instruction publique.*

On y a introduit notamment les notions de « groupe » fonctionnel (groupe du sujet, groupe de l'attribut, groupe de l'objet direct, etc.) et de « centre » de groupe. Toutefois, dans la seconde partie de l'ouvrage, consacrée à l'analyse des mots, on a fait abstraction de ces notions de « groupe » et de « centre » ; allégement admis par le **Code de Terminologie** *(pp. 32-33), et où les tenants des méthodes traditionnelles pourront trouver leur compte.*

Il ne déplaira peut-être pas à certains professeurs, habitués à l'analyse traditionnelle des phrases composées, de voir figurer, dans la troisième partie de ce manuel, à côté de l'analyse par « groupes » fonctionnels, l'analyse par simple distinction des propositions.

Dans l'ensemble du livre, on s'est appliqué à présenter de façon concrète certaines notions abstraites. Chaque fois que la chose a paru utile, on a rendu plus sensibles, par la disposition en schémas, les rapports existant entre les divers éléments syntaxiques des phrases et des propositions.

M. G.

PREMIÈRE PARTIE

LA PROPOSITION

Notions fondamentales.

PRINCIPES

1. La phrase. — Une phrase est un assemblage de mots exprimant une pensée complète :

Nous nous défierons de ceux qui flattent notre vanité et nous rechercherons bien plutôt la compagnie de ceux qui savent nous reprendre quand nous avons commis une faute.

Remarques. — 1. Le premier mot d'une phrase s'écrit par une majuscule ; le dernier mot de la phrase est suivi d'un signe de ponctuation marquant un repos assez long : point, point d'interrogation, point d'exclamation, points de suspension.

2. Il peut se faire que la phrase soit réduite à un seul mot :

Silence ! — Attention ! — Viens. — Gagné !

2. La proposition. — Dans un phrase, il y a une ou plusieurs propositions :

Le travail ennoblit l'homme.

L'homme s'agite | et Dieu le mène.

Aussi longtemps que la fortune te favorisera, | tu compteras de nombreux amis ; | si tu tombes dans la misère, | tu resteras seul.

3. Distinction des propositions d'une phrase.

1º Pour savoir combien il y a de propositions dans une phrase, on cherche combien elle contient de *verbes à un mode personnel* (*l'infinitif* et le *participe* ne sont pas des modes personnels).

N. B. — On verra plus loin qu'il faut tenir compte de l'*infinitif* et du *par-*

ticipe dans la décomposition d'une phrase en propositions quand ils appartiennent, le premier à une **proposition infinitive** (§ 94, 4°), le second à une **proposition participe** (§ 117).

2° Il arrive que le verbe d'une proposition ne soit pas exprimé : la proposition est alors **elliptique** (on dit qu'il y a **ellipse** du verbe : voir § 68) :

> *Pierre est grand* | *et son frère* [est] *petit* (ellipse de *est*).
> *Honneur* [soit] *aux braves !*

Parfois même il y a ellipse du sujet et du verbe :

> *Du cuir d'autrui* [on fait] *large courroie.*

EXERCICES

*1. Faites entrer dans une petite phrase chacun des mots suivants :

Livre — Belgique — pain — travail.

*2. Faites quatre phrases (une affirmative, une négative, une interrogative, une exclamative) sur le thème : Ma mère.

*3. Séparez par un trait et numérotez les diverses propositions de chacune des phrases suivantes :

a) 1. L'homme propose et Dieu dispose. — 2. L'honneur est un bien très précieux : gardons-le jalousement. — 3. Si tu achètes le superflu, tu vendras bientôt le nécessaire. — 4. Opposez-vous au mal avant qu'il s'enracine.

b) 1. Nul ne parle avec mesure s'il ne se tait volontiers ; il convient donc que nous apprenions l'art de nous taire. — 2. Souffre patiemment qu'on te reprenne et qu'on te châtie si tu as commis quelque faute ; repens-toi et aie le ferme propos de ne plus t'écarter du droit chemin. — 3. Je prendrai ce chemin-ci et vous celui-là. — 4. A chacun son métier.

*4. Faites une phrase de 2 propositions sur le thème : Le soleil ; — une phrase de 3 propositions sur le thème : La pluie ; — deux phrases de 2 propositions sur le thème : Ma classe.

*5. Séparez les propositions dans le texte suivant :

La Poule d'eau.

Preste, toujours attentive, la poule d'eau se montre au bord des joncs ; elle s'enfonce dans leur labyrinthe et disparaît en poussant un petit cri sauvage. Aux approches du printemps, elle se retire à des sources écartées qu'elle connaît et qu'elle aime. Si quelque ennemi la poursuit, elle se glisse sous une racine de saule minée par les eaux et s'y dérobe à tous les yeux. Oh ! le charmant oiseau !

D'après CHATEAUBRIAND.

*6. Même exercice.

Automne.

L'onde n'a plus le murmure
Dont elle enchantait les bois ;
Sous des rameaux sans verdure
Les oiseaux n'ont plus de voix ;
Le soir est près de l'aurore ;
L'astre à peine vient d'éclore
Qu'il va terminer son tour ;
Il jette par intervalle
Une lueur, clarté pâle
Qu'on appelle encore un jour.

LAMARTINE.

Les Termes essentiels de la proposition dans la phrase simple.

PRINCIPES

4. La phrase simple. — La phrase simple n'a qu'une seule proposition ; elle dit d'un être ou d'un objet :

    ce qu'il fait ou subit :

Le chien aboie. Cet arbre sera abattu.

    ce qu'il est ou qui il est :

L'or est un métal. Notre chef sera Paul.

    dans quel état il est, quel il est :

Mon père est malade. Le ciel est bleu.

5. Termes essentiels de la proposition. — La proposition a pour *base* un verbe. Elle comprend essentiellement :

ou bien deux termes :

{ sujet
{ verbe intransitif

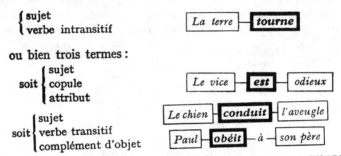

ou bien trois termes :

      { sujet
soit { copule
      { attribut

      { sujet
soit { verbe transitif
      { complément d'objet

N. B. — Chacun de ces termes peut être un mot ou un groupe de mots : le sujet, le verbe et l'attribut peuvent être accompagnés de mots qui les complètent.

EXERCICES

*7. Faites une phrase simple exprimant :

a) Ce que le soleil fait — ce que le bon élève fait — ce que le rossignol fait — ce que la planche subit (de la part du menuisier) — ce que l'élève paresseux subit (de la part du maître).

b) Ce que le fer est — ce que le travail est — ce qu'une bonne conscience est — qui est votre ami — qui est le chef de l'État — qui est l'auteur de la fable « La Cigale et la Fourmi » — qui fut le législateur des Hébreux.

c) Comment est le ciel — comment est le plomb — comment est le granit — comment est le lis — comment est la fourmi — comment est votre classe.

*8. Dans chacune des propositions suivantes encadrez chacun des termes essentiels :

a) Le sujet et le verbe : 1. Le soleil luit. — 2. Les hommes passent. — 3. Dieu demeure. — 4. Tout change. — 5. Une bonne action honore. — 6. Mille fleurs éclosent. — 7. Vivent les braves ! — 8. La leçon des exemples instruit. — 9. Le grand soleil de midi brille.

b) Le sujet, le verbe et l'attribut : 1. La mer est profonde. — 2. Les vertus sont sœurs. — 3. L'âme est immortelle. — 4. Un bon livre est un ami. — 5. L'aiguille de la boussole est aimantée. — 6. Tous les grands hommes sont de nobles modèles

*9. Faites entrer chacun des termes suivants dans une proposition comprenant :

a) Un sujet et un verbe intransitif : La paresse — le chien — l'eau — la nuit.

b) Un sujet, le verbe être *et un attribut :* L'hiver — la bonté — les anciens Belges — la paix du cœur.

c) Un sujet, un verbe transitif et un complément d'objet : Le soleil — le cheval — le boulanger — l'enfant sage.

Le Sujet et le Verbe.

PRINCIPES

6. Le sujet. — Le sujet, point de départ de la proposition, est le mot ou groupe de mots désignant l'être ou l'objet dont on dit :

ce qu'il fait ou subit :

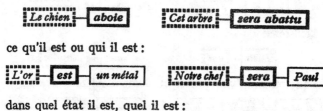

ce qu'il est ou qui il est :

dans quel état il est, quel il est :

7. Comment reconnaître le sujet. — Pour reconnaître le sujet, on place avant le verbe la question *qui est-ce qui ?* pour les personnes, et *qu'est-ce qui ?* pour les choses :

Le maître parle [Qui est-ce qui parle ? **le maître**].
L'expérience nous instruit [Qu'est-ce qui instruit ? **l'expérience**].
Bientôt reviendra le printemps [Qu'est-ce qui reviendra ? **le printemps**].

Remarques. — 1. Le sujet peut être formé de plusieurs éléments :

La verdure, les fleurs, les oiseaux *annoncent le retour du printemps.*

2. Le plus souvent le sujet est placé avant le verbe, mais dans certains cas, il est placé après le verbe :

Partout dans les rues, flottait **le drapeau** *national.*

3. Un même mot, exprimé une seule fois, peut être sujet de plusieurs verbes dans une phrase :

La vague *monte, déferle, recule, revient encore.*

4. Le verbe à l'impératif n'a pas de sujet exprimé :

Entrez ! — Travaillons.

8. Nature du sujet. — Le sujet peut être :

1° Un nom ou un mot pris substantivement : **La terre** *tourne.*
— *Vos* **pourquoi** *sont embarrassants.*

2° Un pronom : **Nous** *travaillons.* — **Chacun** *sent son mal.*

3° Un infinitif : **Lire** *est agréable.*

4° Une proposition : **Qu'on nous critique** *blesse notre amour-propre.*

9. Le verbe. — Le verbe, base de la proposition, exprime :

l'action faite ou subie par le sujet :

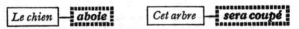

l'existence ou l'état du sujet :

l'attribution d'une qualité ou d'une manière d'être au sujet :

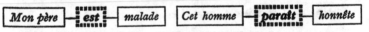

10. Ce que peut être le verbe. — Le verbe peut être exprimé :

1° Par une *forme simple* (c'est-à-dire un seul mot) :

2° Par une *forme composée* avec l'auxiliaire *avoir* ou *être* :

3° Par une *locution verbale,* c'est-à-dire par un ensemble de mots ayant le sens d'un verbe simple :

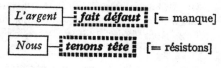

L'argent — fait défaut [= manque]

Nous — tenons tête [= résistons]

EXERCICES

*10. **Écrivez dans une 1ʳᵉ colonne les sujets et, en face de chacun d'eux, dans une 2ᵉ colonne, son verbe.**

a) 1. Le maître enseigne. — 2. L'élève écoute. — 3. L'oisiveté avilit. — 4. Le feu brûle. — 5. Les abeilles butinent. — 6. Dans quelque temps viendra l'hiver. — 7. Là-bas gazouille un frais ruisseau. — 8. Les justes seront récompensés.

b) 1. Je lis un livre. — 2. Nous aimons notre patrie. — 3. Chacun a ses défauts. — 4. Feras-tu ton devoir ? — 5. Chanter est un plaisir. — 6. Ainsi dit le renard. — 7. La gloire et les honneurs passent. — 8. Le ciel et la terre racontent la gloire de Dieu. — 9. Trop parler nuit. — 10. Grande fut ma surprise. — 11. Qu'on manque à sa parole répugne à l'homme droit. — 12. Qui vivra verra. — 13. Un jour nous seront comptées nos bonnes actions. — 14. Qui n'aime à lire un poème où vibre un noble sentiment ?

c) 1. Savez-vous ce que suggère le mot de patrie ? — 2. Ce sont les tonneaux vides, dit le proverbe, qui font le plus de bruit. — 3. Du piano ou du violon lequel vous plaît le plus ? — 4. Lorsque fut envoyé dans les Pays-Bas le farouche duc d'Albe, terrible fut la répression. — 5. Rien ne sert de courir ; nous partirons à point. — 6. Que m'importent vos richesses ? Que signifieront-elles quand vous aurez à rendre compte de ce qui aura rempli votre vie ?

*11. **Remplacez les points par un sujet :**

1. ... laboure. — 2. ... rabote. — 3. ... bâtit la maison. — 4. ... relie les livres. — 5. ... répare les toitures. — 6. ... garde les moutons. — 7. ... est blâmable. — 8. ... est louable. — 9. ... nous charme. — 10. ... nous ennuie.

*12. Formez de petites propositions en employant comme sujets les termes suivants :

1. L'aube... — 2. Chaque saison... — 3. La lecture... — 4. Godefroid de Bouillon... — 5. Un ami... — 6. Tous les hommes... — 7. Mentir... — 8. Nous... — 9. L'utile... — 10. Secourir les malheureux... — 11. Qui veut la fin...

*13. Prenez comme sujets les termes suivants et ajoutez chaque fois le verbe convenable :

a) *Idée générale : cris des animaux :* 1. Le chien... — 2. Le cheval... — 3. Le chat... — 4. Le lion... — 5. La grenouille... — 6. Le corbeau... — 7. Le loup... — 8. Le renard... — 9. Le dindon... — 10. Le moineau... — 11. Le pigeon... — 12. La pie... — 13. L'éléphant...

b) *Idée générale : phénomènes de la nature :* 1. La neige... — 2. L'orage... — 3. L'éclair... — 4. La foudre... — 5. La pluie... — 6. L'inondation... — 7. L'aube... — 8. Les étoiles... — 9. Le brouillard... — 10. Le vent...

*14. Écrivez dans une 1re colonne les sujets et, en face de chacun d'eux, dans une 2e colonne, son verbe.

Crépuscule.

Le ciel était d'or fondu, et le fleuve, au fond de la vallée, doucement luisait, par reflet. Mais l'herbe entrait déjà dans l'ombre, et les saules ne luisaient plus. Peu à peu mourait la dernière brise. Une langueur traversait cette fin de jour et annonçait une nuit exquise. Des chants, des éclats de rire, portés par les eaux, venaient grandissants. Et à mesure que les voyageurs approchaient de la ville, ils en apercevaient la silhouette toute violette sur le ciel pâli.

D'après R. Bazin.

*15. Même exercice.

Les Anciens Bûcherons ardennais.

Les très vieilles gens nous racontent, à la veillée, que, dans les forêts de l'Ardenne vivait autrefois une race encore à demi sauvage ; tous étaient bûcherons. Ils connaissaient à peine le pain ; un quartier de lard, des pommes de terre, du lait faisaient leur nourriture. Ils logeaient dans des chaumières qui n'avaient point de fenêtres ; la lumière venait et la fumée sortait par une large cheminée où séchaient les viandes. Les enfants couraient tout le jour comme des poulains lâchés ; à douze ans on leur mettait une hachette entre les mains et ils ébranchaient les chênes coupés ; devenus grands, ils abattaient les arbres.

D'après H. TAINE.

*16. Même exercice.

1. Nous estimons l'homme qui travaille. — 2. Vous lirez les livres qui instruisent ou qui édifient. — 3. Tous cherchent le bonheur, peu le trouvent. — 4. L'homme charitable console ceux qu'accable la douleur ; il soulage ceux que frappe l'adversité. — 5. L'estime qu'inspire notre conduite nous honore. — 6. La richesse, dit un adage, ne fait pas le bonheur. — 7. Un homme parut dans l'assemblée, lequel calma les esprits échauffés. — 8. Ne vous baignez pas immédiatement après un repas : ce serait fort imprudent. — 9. Si vous avez fait une erreur, vous la reconnaîtrez sans détours ; cela vous honorera. — 10. Quand revient le printemps, nous oublions les loisirs que nous ont procurés les longues soirées d'hiver.

*17. Donnez à chacune des propositions suivantes le sujet convenable :

La Construction d'une maison.

Quand le bâtiment va, tout va, dit-on : ... creuse les fondations ; ... construit les murs ; ... gâche le mortier ; ... assemble la charpente ; ... fait la couverture ; ... fait les plafonds ; ... place la tuyauterie ; ... place les châssis et les portes ; ... pose les vitres aux fenêtres ; ... peint les châssis et les portes ; ... pose les parquets ; ... tapisse les murailles.

Le Sujet apparent. Le Sujet réel.

PRINCIPES

11. Sujet apparent. Sujet réel. — Dans les verbes impersonnels *il pleut, il neige, il tonne, il gèle*, etc., le pronom neutre *il*, **sujet apparent,** est un simple signe grammatical annonçant la personne du verbe, mais ne représentant ni un être ni une chose faisant l'action.

Les verbes impersonnels *il faut, il y a*, et les verbes employés impersonnellement (par exemple : *il convient, il importe, il est juste*, etc.), outre le **sujet apparent** *il*, ont un **sujet réel**, répondant à la question *qu'est-ce qui ?* ou *qui est-ce qui ?* placée devant eux :

= **du courage** est nécessaire ; qu'est-ce qui est nécessaire ? *du courage* = sujet réel.

Qui est-ce qui manque ? *un élève* = sujet réel.

Qu'est-ce qui convient ? *de partir* = sujet réel.

EXERCICES

*18. Encadrez les sujets [pour les sujets apparents : cadre en pointillé] et marquez chacun d'eux d'un des signes : *s.* [= sujet] — *s. a.* [= sujet apparent] — *s. r.* [= sujet réel].

L'Orage.

Qu'il fait chaud ! A l'horizon s'amassent de noirs nuages et il y a dans l'air une sourde menace. Au loin il circule des roulements indistincts qui peu à peu s'amplifient et se rapprochent. Il tombe sur les campagnes un subit crépuscule ; il éclaire par longues traînées bizarrement ramifiées ; il tonne tantôt par brusques détonations, tantôt par grondements prolongés. Tout à coup les nuages crèvent : il pleut à larges gouttes. Aux campagnards surpris loin de leurs demeures il faut une certaine prudence, car il est dangereux de chercher un abri sous les arbres. Après l'orage, il flotte partout une douce fraîcheur.

*19. Complétez les phrases suivantes en joignant à chaque forme impersonnelle un sujet réel :

1. Il faut... dans l'adversité. — 2. Si vous avez manqué aux convenances, il convient... — 3. Il est beau... — 4. Pour réussir dans les études, il est nécessaire... — 5. Quand on est trop faible pour attaquer de front une difficulté, il est adroit... — 6. Nous voudrions connaître l'avenir, mais en somme il est bon...

*20. Faites entrer chacun des adjectifs suivants dans une forme impersonnelle et joignez-y un sujet réel :

Heureux — incontestable — juste — souhaitable — faux — vrai — pénible — réconfortant — triste — sage.

Le Complément d'objet direct.

PRINCIPES

12. Les compléments du verbe. — Le verbe peut avoir deux espèces de compléments :

le *complément d'objet* (direct et indirect) ;
le *complément circonstanciel.*

Remarque. — Au passif, le verbe peut avoir un *complément d'agent.*

13. Le complément d'objet direct est le mot ou groupe de mots qui se joint **au verbe sans préposition** pour en compléter le sens en marquant sur qui ou sur quoi passe l'action ; il désigne la personne ou la chose à laquelle aboutit, comme en ligne droite, l'action du sujet :

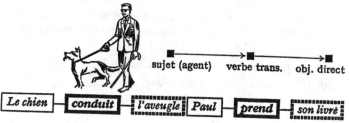

sujet (agent)   verbe trans.   obj. direct

Le chien — conduit — l'aveugle   Paul — prend — son livre

Remarques. — 1. L'infinitif complément d'objet direct est parfois introduit par une des prépositions vides *à* ou *de*·

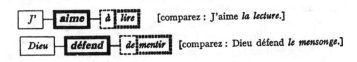

J' — **aime** — *à lire*   [comparez : J'aime *la lecture.*]

Dieu — **défend** — *de mentir*   [comparez : Dieu défend *le mensonge.*]

2. Dans *Je bois* **du vin, de la bière, de l'eau** ; *je mange* **des épinards,** *il n'a* **pas de pain,** on a des **compléments d'objet partitifs.** On observera que *de* ne garde pas là sa valeur ordinaire de préposition : combiné (ou fondu) avec *le, la, l', les,* il forme les articles partitifs *du, de la, de l', des* ; — employé seul, comme dans *il n'a pas* **de** *pain, j'ai mangé* **de** *bonnes noix,* il sert d'article partitif ou indéfini.

14. Comment reconnaître le complément d'objet direct.
Pour reconnaître le complément d'objet direct, on place après le verbe la question *qui ?* pour les personnes, et *quoi ?* pour les choses :

> *Le chien conduit* **l'aveugle** [Le chien conduit qui ? *l'aveugle* = complément d'objet direct].
> *Paul prend* **son livre** [Paul prend quoi ? *son livre* = complément d'objet direct].

Remarque. — On peut observer aussi que le complément d'objet direct est le mot ou groupe de mots qui devient sujet quand la proposition peut être mise au passif :

> *Le chien conduit* **l'aveugle** [*L'aveugle* est conduit par le chien].

15. Nature du complément d'objet direct. — Le complément d'objet direct peut être :

1º Un nom ou un mot employé substantivement : *J'aime* ma **mère.** — *L'enfant demande* **le pourquoi** *de chaque chose.* — *Aimons* **le vrai.**

2º Un pronom : *Vous* **me** *connaissez.* — *Prenez* **ceci.**

3º Un infinitif : *Je veux* **travailler.**

4º Une proposition : *J'affirme* **que l'oisiveté dégrade l'homme.**

EXERCICES

*21. Écrivez dans une 1re colonne les verbes avec leurs sujets, et en face de chaque verbe, dans une 2e colonne, le complément d'objet direct qui s'y rattache.

a) 1. Le vent chasse les nuages. — 2. Le soleil éclaire la terre. — 3. L'architecte construit la maison. — 4. Le moissonneur fauche le blé. — 5. Le tracteur tire la charrue. — 6. Personne ne sait tout. — 7. Notre mère nous aime tendrement. — 8. Ces livres, je les ai lus. — 9. Où me conduisez-vous ?

b) 1. Pour nous connaître, examinons bien notre conscience— 2. La vie nous apporte des joies : goûtons-les avec sagesse ; elle nous apporte aussi des douleurs : supportons-les avec courage. — 3. Le poète aime à rêver, le soir, en regardant les étoiles. — 4. Je vous souhaite de réussir. — 5. Vous me parlez de la maison que j'aime.

c) 1. Quels souvenirs charmants m'a laissés ce voyage ! — 2. Rappelez-vous les bienfaits que vous avez reçus, oubliez ceux que vous avez rendus. — 3. Qui cherchez-vous ? — 4. Si l'on vous interroge, que répondrez-vous ? — 5. Comment oublierions-nous les lieux que nous avons chéris dans notre enfance ?

*22. Complétez les phrases suivantes en ajoutant un complément d'objet direct :

a) 1. L'ébéniste fabrique... — 2. Le philatéliste collectionne ... — 3. L'horticulteur cultive... — 4. L'homme droit garde... — 5. Un chrétien aime... — 6. César a conquis... — 7. Fuyez... — 8. Le roi nomme et révoque... — 9. Le joaillier vend... — 10. Le colonel commande...

b) 1. Le malade espère... — 2. Les cieux racontent... — 3. Les voyages forment... — 4. Socrate fut condamné à boire... — 5. L'Escaut arrose... — 6. L'eau régale dissout... — 7. Un bon arbre produit... — 8. Rubens a peint... — 9. Gutenberg a inventé ... — 10. Le lion de la fable s'accusait d'avoir dévoré...

*23. Faites de petites phrases où les mots suivants soient employés comme compléments d'objet directs :

a) Le travail — les louanges — la parole donnée — la lecture — l'estime des honnêtes gens — l'avenir — notre patrie.

b) Un ami véritable — du courage — des efforts — me — nous — vous — obéir — que — rien — personne — tout.

*24. Faites sur le travail de chacun des artisans nommés trois petites phrases contenant un complément d'objet direct :

Le tailleur — le forgeron — le bûcheron — le plombier — le couvreur — le menuisier — le mécanicien — le cordonnier.

RÉCAPITULATION

*25. Écrivez, en les faisant correspondre sur chaque ligne : dans une 1re colonne, les sujets ; — dans une 2e colonne, les verbes ; — et dans une 3e colonne, les compléments d'objet directs.

Brouillards d'automne.

Déjà revoici septembre... Les premiers brouillards de l'automne suspendent aux buissons leurs écharpes floconneuses. Montons, si vous le voulez bien, le petit sentier que décorent les aubépines et les églantiers déjà jaunissants. En bas, la vallée exhale une brume légère ; le blanc et le gris fondent leurs nuances dans cette mer argentée que les souffles de l'air brassent doucement. De gros bouquets d'arbres, que l'on voit vaguement çà et là, émergent comme des îlots. On devine, sans les apercevoir nettement, les souples contours des collines environnantes. Quelle molle douceur le paysage ainsi estompé offre à nos yeux !

Le Complément d'objet indirect.

PRINCIPES

16. Le **complément d'objet indirect** est le mot ou groupe de mots qui se joint au verbe par une préposition pour en compléter le sens en marquant, comme par bifurcation, sur qui ou sur quoi passe l'action ; parfois il l'indique être à l'avantage ou au désavantage de qui l'action se fait :

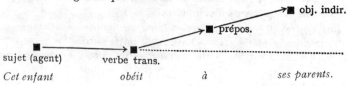

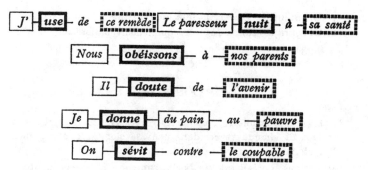

Remarques. — 1. Le pronom *leur* est toujours complément d'objet indirect.

2. Les pronoms compléments d'objet indirects *me, te, se,* avant le verbe, — *moi, toi, soi,* après un impératif, — *nous, vous, lui, leur,* avant ou après le verbe, — se présentent sans préposition. (Le nom auquel ces pronoms correspondraient serait, comme complément d'objet indirect, construit avec une préposition). — La même observation s'applique au pronom relatif *dont* quand il est complément d'objet indirect [1].

17. Comment reconnaître le complément d'objet indirect.

— Pour reconnaître le complément d'objet indirect, on peut (en observant si la réponse exprime bien l'*objet* de l'action) placer après le verbe l'une des questions *à qui ? à quoi ? de qui ? de quoi ? pour qui ? pour quoi ? contre qui ? contre quoi ?*

Nous obéissons à **nos parents** [Nous obéissons à qui ? *à nos parents* = complément d'objet indirect].

J'use **d'un remède** [J'use de quoi ? *d'un remède* = complément d'objet indirect].

18. Nature du complément d'objet indirect. — Le complément d'objet indirect peut-être :

1º Un nom ou un mot pris substantivement : *Pardonnons* à **nos frères.** — *On pardonne* au **coupable.**

2º Un pronom : *Je* **lui** *obéirai.* — *Il doute* de **tout** *et de* **tous.**

---

1. On peut, il est vrai, en recourant à l'étymologie, voir la préposition *de* dans le relatif *dont*, qui vient du latin vulgaire *de unde* renforcement de *unde*, signifiant « d'où ».

3° Un infinitif : *On l'exhorte* à **combattre**.

4° Une proposition : *Je doute* **que vous réussissiez**.

EXERCICES

*26. Écrivez dans une 1re colonne les verbes avec leurs sujets, — et en face de chaque verbe, dans une 2e colonne, le complément d'objet indirect qui s'y rattache.

a) 1. Nous jouissons d'une bonne santé. — 2. Nul ne doute de votre bonne foi. — 3. Un homme qui manque de sincérité s'aliène les sympathies. — 4. Tout le monde se plaint de sa mémoire; personne ne se plaint de son jugement. — 5. Cet homme est honnête : on peut croire à ses promesses. — 6. La naïveté de l'enfance plaît à tous.

b) 1. Si vous vous repentez de vos fautes et si vous vous engagez à vous amender, on vous pardonnera. — 2. Je ferai ce qu'il vous plaira. — 3. Sachons nous abstenir de toute action déloyale. — 4. Celui qui aspire aux honneurs doit s'attendre à des déconvenues. — 5. On ne parle pas de corde dans la maison d'un pendu. — 6. Une mère se dévoue à ses enfants et ne désespère jamais d'eux. — 7. Un homme énergique ne renonce à agir que si les événements lui ôtent toute chance de succès.

*27. Même exercice.

1. Aimons bien nos parents et témoignons-leur notre amour. — 2. Que me dites-vous là ? Répondez-moi. — 3. Il me déplaît de constater que vous manquez à votre devoir. — 4. Dis-toi bien que celui à qui tu as nui ne renonce pas à demander la réparation du dommage que tu lui as causé. — 5. L'action dont vous me félicitez me vaut peut-être quelque mérite, mais je ne veux pas m'en prévaloir. — 6. L'homme sage ne s'enorgueillit pas des honneurs qu'on lui décerne. — 7. La bonne santé dont vous jouissez est un vrai trésor. — 8. Je te le déclare : si tu te dispenses de faire des efforts, tu t'ôteras toute chance de succès. — 9. La clef dont on se sert est toujours claire. — 10. De quoi vous plaignez-vous ? — 11. A quels malheurs il doit s'attendre !

*28. Complétez les phrases suivantes en ajoutant un complément d'objet indirect :

1. L'avenir n'appartient pas à..., il appartient à... — 2. Le sage se contente de... — 3. Dans les combats pour le bien, n'hésitons pas à... — 4. Que personne ne se dispense de... — 5. Un grand cœur a l'orgueil de vouloir ressembler à... — 6. Un chef juste n'abuse pas de... — 7. Quiconque est épris de grandeur morale doit s'attacher à... — 8. Le roi Albert a succédé à...

*29. Faites entrer dans de petites phrases les verbes suivants, auxquels vous joindrez un complément d'objet indirect :

Cesser (de) — convenir (de) — renoncer (à) — se vanter (de) — disposer (de) — enlever (à) — écrire (à) — rêver (de) — dissuader (de) — déplaire (à).

RÉCAPITULATION

*30. Écrivez, en les faisant correspondre sur chaque ligne : dans une 1re colonne, les sujets ; — dans une 2e colonne, les verbes ; — dans une 3e colonne, les compléments d'objet directs, — et dans une 4e colonne, les compléments d'objet indirects.

L'Araignée.

L'araignée répugne à tout le monde ; on l'a en horreur et, il faut bien en convenir, elle manque entièrement de charmes. Cependant si la nature lui a refusé toute grâce et toute beauté, elle lui a donné un merveilleux appareil industriel qui lui permet de pourvoir à ses besoins vitaux. Par son activité, l'araignée ressemble à un cordier, à un fileur, à un tisseur. Ne parlons pas de sa physionomie, mais attachons-nous à observer le produit de son art ; nous nous étonnerons peut-être de son ventre énorme, mais, songeons-y : c'est là son atelier, son magasin. Elle veille à conserver toujours gonflé ce trésor où est l'élément indispensable de son travail et sa seule chance d'avenir.

D'après MICHELET.

Le Complément circonstanciel.

PRINCIPES

19. Le **complément circonstanciel** est le mot ou groupe de mots qui complète l'idée du verbe en indiquant quelque précision extérieure à l'action : but, cause, temps, lieu, manière, etc. :

Le fermier se lève **de grand matin** [c. circ. de temps] ;
il va **aux champs** [c. circ. de lieu] ;
il travaille **avec courage** [c. circ. de manière].

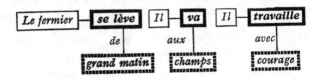

Remarque. — Le complément circonstanciel est le plus souvent introduit par une préposition.

20. Comment reconnaître le complément circonstanciel.

Pour reconnaître le complément circonstanciel, on place après le verbe une des questions *où ? quand ? comment ? pourquoi ? avec quoi ? en quoi ? combien ? de combien ? par quel moyen ?* etc.

21. Principales circonstances marquées par le complément circonstanciel :

La cause : *Agir* **par jalousie.**
Le temps (époque) : *Nous partirons* **dans trois jours.**
   »   (durée) : *Il a travaillé* **toute sa vie.**
Le lieu (situation) : *Vivre* **dans un désert.**
   »   (direction) : *Je vais* **aux champs.**
   »   (passage) : *Il s'est introduit* **par le soupirail.**
La manière : *Il marche* **à pas pressés.**
Le but : *Il travaille* **pour la gloire.**
L'instrument, le moyen : *Il perce l'animal* **de sa lance.** *Réussir* **par la ruse.**
La distance : *Il se tient* **à trois pas** *de son adversaire.*
Le prix : *Ce bijou coûte* **mille francs.**
Le poids : *Ce colis pèse* **cinq kilos.**
La mesure : *Allonger une robe* **de deux centimètres.**
La partie : *Saisir un poisson* **par les ouïes.**
L'accompagnement : *Il part* **avec un guide.**
La matière : *Il bâtit* **en briques.**
L'opposition : *Je te reconnais* **malgré l'obscurité.**
Le point de vue : *Égaler quelqu'un* **en courage.**

Le propos : *Discourir* **d'une affaire.**
Le résultat : *Il changea l'eau* **en vin.**

22. Nature du complément circonstanciel. — Le complément circonstanciel peut être :

1º Un nom ou un mot pris substantivement : *Il meurt* **de faim.** — *Il loge* **sur le devant.**

2º Un pronom : *Il a été condamné* **pour cela.**

3º Un infinitif : *Il travaille* **pour vivre.**

4º Un adverbe : *Nous partirons* **bientôt.**

5º Un gérondif : *Il est tombé* **en courant.**

6º Une proposition : *Nous commencerons* **quand vous voudrez.**

EXERCICES

*31. Écrivez, en les faisant correspondre sur chaque ligne : dans une 1ʳᵉ colonne, les verbes avec leurs sujets, — et dans une 2ᵉ colonne, les compléments circonstanciels (précisez en indiquant chaque fois de quelle circonstance il s'agit).

a) 1. Par ce signe tu vaincras. — 2. Le rat de ville invita d'une façon fort civile le rat des champs. — 3. Nous vous avons attendu deux heures. — 4. Tous les chemins mènent à Rome. — 5. Grâce à un stratagème le renard put sortir du puits. — 6. Dieu ne se laisse pas vaincre en générosité. — 7. Écrivez les injures sur le sable et les bienfaits sur le marbre.

b) 1. Je tiens le loup par les oreilles, dit un adage latin. — 2. Il faut manger pour vivre et non vivre pour manger. — 3. Vous voyagez en auto, moi je préfère voyager à vélo. — 4. Il souffre de l'estomac. — 5. Nous marchions en silence. — 6. Aimeriez-vous mieux passer vos vacances à la mer ou dans les Ardennes ? — 7. De dépit, il jeta son livre par terre. — 8. Ce qui vient de la flûte s'en retourne au tambour.

*32. Même exercice.

Le Chêne.

Un gland tombe de l'arbre et roule sur la terre ;
L'aigle à la serre vide, en quittant les vallons,

S'en saisit en jouant et l'emporte à son aire
Pour aiguiser le bec de ses jeunes aiglons ;
Bientôt du nid désert qu'emporte la tempête
Il roule confondu dans les débris mouvants
Et sur la roche nue un grain de sable arrête
Celui qui doit un jour rompre l'aile des vents.

LAMARTINE.

*33. Remplacez les points par un complément circonstanciel.

1. Nous n'irons plus..., les lauriers sont coupés. — 2. Mon frère est beaucoup plus grand que moi : il me dépasse ... — 3. Comme il n'avait pas de plume, il écrivit... — 4. Le Petit Chaperon rouge allait... — 5. Le vin est importé... — 6. J'ai du bon tabac... — 7. Tout était calme : le canari dormait..., le poisson rouge se tenait immobile... ; un rayon de soleil oblique glissait... — 8. Souvent ce qui ne coûte que... ne vaut que... — 9. Le lièvre pensait battre la tortue...

*34. Ajoutez à chacune des phrases suivantes :

a) Un complément circonstanciel de **temps** : 1. La chauve-souris sort... — 2. Les bois se dépouillent... — 3. Nous avons conquis notre indépendance... — 4. Les jours sont fort courts... — 5. Un octogénaire est un homme qui a vécu... — 6. La lumière parcourt 300 000 kilomètres... — 7. Il y eut le déluge : il plut...

b) Deux compléments circonstanciels (*un de* **temps** *et un de* **lieu**) : 1. ... les moissonneurs vont... — 2. ... nous partons... — 3. ...nous arrivons... — 4. ... la neige s'étend... — 5. ... les croisés de Godefroid de Bouillon pénétrèrent... — 6. ... on célèbre... la fête nationale.

c) Trois compléments circonstanciels (*un de* **temps**, *un de* **lieu**, *un de* **manière**) : 1. ... l'ouvrier rentre... ... — 2. ... les hirondelles s'en vont... ... — 3. ... elles reviennent... ...

*35. Faites sur chacun des thèmes suivants une phrase où vous mettrez, selon votre inspiration et votre bon goût, plusieurs compléments circonstanciels :

1. Le pêcheur à la ligne. — 2. Les coureurs cyclistes. — 3. Mon chat.

RÉCAPITULATION

*36. Écrivez, en les faisant correspondre sur chaque ligne : dans une 1re colonne, les verbes avec leurs sujets ; — dans une 2e colonne, les compléments d'objet directs ; — dans une 3e colonne, les

compléments d'objet indirects ; — dans une 4e colonne, les compléments circonstanciels (précisez, dans chaque cas, de quelle circonstance il s'agit).

L'Artiste peintre attend la décision du jury.

Enfin le jour du jugement arriva. Étienne n'avait pas dormi et se sentait tout frissonnant, malgré la chaleur étouffante. Il voulait contenir l'émotion qui lui serrait la gorge et alla chez un ami qui demeurait rue de Babylone. Pendant quelque temps tout marcha bien ; Étienne essayait de manger et causait avec une volubilité nerveuse, mais vers une heure il lui fut impossible de tenir en place ; il sortit et s'achemina seul vers les quais. Il allait à petits pas, mais parfois il hâtait l'allure et s'impatientait de la lenteur des gens qui encombraient le trottoir.

D'après A. Theuriet.

Le Complément d'agent du verbe passif.

PRINCIPES

23. Le **complément d'agent** du verbe passif est le mot ou groupe de mots désignant l'être animé ou la chose personnifiée par qui est faite l'action que subit le sujet ; il désigne donc l'être qui *agit ;* ce complément d'agent s'introduit par une des prépositions *par* ou *de :*

L'accusé est interrogé **par le juge.**
Il est craint **de ses ennemis.**
Nous serons accueillis avec douceur **par la maison natale.**

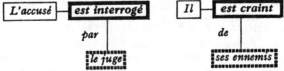

24. Comment reconnaître le complément d'agent. —
Pour reconnaître le complément d'agent, on place après le verbe
passif une des questions *par qui ? par quoi ? de qui ? de quoi ?* On
peut observer aussi que le complément d'agent est le mot qui
devient sujet quand la phrase est mise à l'actif :

> *L'accusé est interrogé* **par le juge** [L'accusé est interrogé
> par qui ? *Par le juge* = complément d'agent ; — A l'actif
> on aurait : *Le juge* interroge l'accusé].
>
> *Il est craint* **de ses ennemis** [Il est craint de qui ? *De ses
> ennemis* = complément d'agent ; — A l'actif on aurait : *Ses
> ennemis* le craignent].

Remarque. — Le complément d'agent du verbe passif se rapproche
fort du complément circonstanciel de *cause* ou d'*instrument* (mais ce dernier désigne une *chose* ou un *objet inerte*, tandis que le complément d'agent
désigne une *personne* ou un *être qui agit*, soit réellement, soit fictivement).

EXERCICES

***37. Écrivez, dans une 1re colonne, les verbes avec leurs sujets, —
et en face de chaque verbe, dans une 2e colonne, le complément
d'agent qui s'y rattache.**

1. Le menteur est méprisé des honnêtes gens. — 2. Le carpillon
de la fable disait au pêcheur : « Laissez-moi carpe devenir, je serai
par vous repêchée ». — 3. Un orateur qui n'articulerait pas nettement ne serait pas compris de son auditoire. — 4. Dans la grotte
de Han, nous avons été conduits par un guide. — 5. Jacques van
Artevelde fut assailli dans son hôtel par des bandes furieuses. —
6. La « Descente de croix » a été peinte par Rubens. — 7. Un
homme qui se possède vraiment lui-même mérite d'être admiré
de tous.

*38. Remplacez les points par un complément d'agent.

1. La boussole a été inventée... — 2. La charrue est tirée...
— 3. L'Amérique a été découverte... — 4. L'hypocrite ne sera
jamais estimé... — 5. Les Hébreux furent conduits vers la Terre
promise... — 6. La bataille de Waterloo en 1815 a été perdue... —
7. On n'est jamais si bien servi que... — 8. L'enfant qui est sévè-

rement repris de ses fautes... devrait comprendre qu'il s'agit de
son bien. — 9. Clovis fut baptisé... — 10. Si un aveugle est conduit..., ils tomberont tous deux dans le fossé.

***39. Formez de courtes phrases dans lesquelles les termes suivants
soient employés comme compléments d'agent :**

Le soldat — tout le monde — les mères — un chien — le jardi-
nier.

***40. Changez la tournure des phrases suivantes de telle façon que
le sujet devienne complément d'agent :**

Activités professionnelles. — 1. L'avocat plaide la cause. —
2. Le médecin soigne le malade. — 3. Le chirurgien opère le blessé.
— 4. Le mécanicien dirige la locomotive. — 5. Le facteur distribue
les lettres. — 6. L'architecte trace le plan. — 7. Le notaire rédige
le contrat. — 8. Le moissonneur fauche le blé. — 9. Le pharma-
cien prépare le médicament. — 10. L'horloger répare la montre.

L'Attribut du sujet.

PRINCIPES

25. L'**attribut du sujet** est le mot ou groupe de mots exprimant la qualité, la nature, l'état, qu'on « attribue » au sujet par
l'intermédiaire d'un verbe :

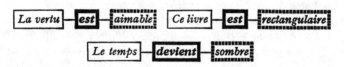

Prenons le sujet *ce livre ;* quand nous attribuons à ce sujet la qualité de
rectangulaire, c'est comme si nous unissions l'idée de *rectangulaire* à l'idée
de *ce livre,* de façon à faire coïncider exactement les deux idées pour les

lier en un seul bloc, par une ficelle ; cette ficelle, c'est le verbe copule (*être, paraître, sembler, devenir,* etc.) :

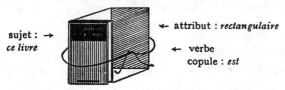

sujet : →
ce livre

← attribut : *rectangulaire*

← verbe
copule : *est*

Remarques. — 1. Le verbe reliant l'attribut au sujet est un *verbe copule* (cette appellation signifie littéralement « verbe-lien ») : on pourrait comparer le verbe copule au signe = dans une égalité).

2. Le plus souvent l'attribut du sujet se construit sans préposition ; avec certains verbes il est introduit par une des prépositions vides *de, en, pour, comme* :

Il est traité **d'***ignorant.* — *Il parle* **en** *maître.*
Il fut choisi **pour** *chef.* — *Il est regardé* **comme** *ennemi.*

26. Verbes unissant l'attribut au sujet. — L'attribut peut être relié au sujet :

a) Par le verbe ***être*** (c'est le cas le plus fréquent) :

L'homme **est** *mortel.* — *La musique* **est** *un art.*

b) Par un ***verbe d'état*** contenant l'idée du verbe *être*, à laquelle se trouve implicitement associée :

1° l'idée de devenir : *devenir, se faire, tomber* (par ex. : *tomber malade*) ;

2° l'idée de continuité : *demeurer, rester ;*

3° l'idée d'apparence : *paraître, sembler, se montrer, s'affirmer, s'avérer, avoir l'air, passer pour, être réputé, être pris pour, être considéré comme, être regardé comme, être tenu pour ;*

4° l'idée d'appellation : *s'appeler, se nommer, être appelé, être dit, être traité de ;*

5° l'idée de désignation : *être fait, être élu, être créé, être désigné pour, être choisi pour, être proclamé...*

6° l'idée d'accident : *se trouver* (par ex. : *Il se trouva pauvre tout d'un coup*) :

Il **devient** *studieux.* — *Cet enfant* **reste** *faible.*
Vous **paraissez** *content.* — *Votre père* **est élu** *président.*

c) Par certains ***verbes d'action*** à l'idée desquels l'esprit associe implicitement l'idée du verbe *être :*

> *Il* **mourut** *pauvre* [= il mourut étant pauvre].
> *Il* **reviendra** *vainqueur* [= il reviendra étant vainqueur].
> *Ces gens* **vivent** *heureux* [= ces gens vivent étant heureux].

27. Comment reconnaître l'attribut du sujet. — On peut reconnaître l'attribut du sujet en observant qu'il dit du sujet :

qui il est : *Mon ami est* **Pierre** ;

ce qu'il est : *La terre est* une **planète** ;

comment il est : *La mer est* **profonde.**

N. B. — Il importe d'observer soigneusement que le verbe qui relie l'attribut au sujet est toujours *être* ou un verbe à l'idée duquel est implicitement associée l'idée du verbe *être.*

28. Nature de l'attribut du sujet. — L'attribut du sujet peut être :

1º Un nom ou un mot pris substantivement : *La terre est* une **planète.** — *Cette nouvelle est* **un on-dit.**

2º Un pronom : *Cela n'est* **rien.** — *Tu es* **celui** *que j'ai choisi.*

3º Un adjectif, ou une locution adjective, ou un mot pris adjectivement : *L'homme est* **mortel.** — *Nous sommes* **sains et saufs.** — *Cette personne est* **bien.**

4º Un infinitif : *Chanter n'est pas* **crier.**

5º Une proposition : *Mon avis est* **qu'il se trompe.**

EXERCICES

*41. Écrivez, en les faisant correspondre sur la même ligne : dans une 1ʳᵉ colonne, les sujets ; — dans une 2ᵉ colonne, les verbes copules ; — dans une 3ᵉ colonne, les attributs des sujets.

a) 1. Dieu seul est grand. — 2. L'or est un métal. — 3. Pierre est mon ami. — 4. L'humilité est une vertu. — 5. Cet élève n'est pas ordonné. — 6. Sommes-nous prêts ? — 7. Tels furent les événements. — 8. Grande fut notre surprise.

b) 1. User n'est pas abuser. — 2. Qui êtes-vous ? — 3. Rien n'est parfait ici-bas. — 4. Que vous êtes joli, que vous me semblez

beau ! disait le renard au corbeau. — 5. Cicéron fut créé consul. —
6. Que deviendrons-nous ? — 7. Nous demeurerons inébranlables
dans notre volonté de bien faire. — 8. Heureux les pacifiques !

*42. Même exercice.

a) 1. Bien des savants moururent pauvres. — 2. Partir, c'est
mourir un peu. — 3. Si nous sommes énergiques, nous oserons
être nous-mêmes. — 4. Vous êtes aujourd'hui ce que vos grands-
parents ont été autrefois. — 5. Je rêvais que je n'étais plus moi
et que j'étais devenu roi. — 6. Quelles gens êtes-vous ? — 7. Puis-
siez-vous rester dignes : tel est mon vœu. — 8. Ils ont l'air tristes.

b) 1. Ah ! combien douce est la joie de retrouver la paix du
cœur ! — 2. Le savant qu'il était se révéla tout à coup. — 3. Bien
des gens veulent paraître ce qu'ils ne sont pas. — 4. Quand vous
tombez malade, votre père est inquiet, votre mère l'est sans doute
davantage. — 5. Nous serions considérés comme lâches si nous
abandonnions notre poste de combat. — 6. Les élèves aiment les
maîtres qui parlent en chefs ; les maîtres aiment les élèves qui sont
réputés sincères. — 7. Le mieux serait de partir. — 8. L'homme est
de glace aux vérités ; Il est de feu pour les mensonges. (La Font.)

***43. Écrivez, en les faisant correspondre sur la même ligne : dans
une 1re colonne les sujets en italique ; — dans une 2e colonne,
les verbes copules ; — dans une 3e colonne, les attributs des sujets.**

La Fête du matin.

La *matinée* est délicieuse ; l'*air* est rempli de parfums subtils.
Les *prairies* paraissent glacées sous la rosée du matin. Au bord
de la rivière, les *peupliers* semblent raidis dans l'attitude de vigi-
lants gardiens. L'*écluse* ne demeure pas muette ; un bruit de cas-
cade, *qui* devient peu à peu plus net à mesure que la *brume* se fait
moins dense, s'élève dans le silence. Les oiseaux, *qui* sont les musiciens de ce spectacle, accordent leurs voix. Le *soleil* a l'air tout neuf ;
tout est clair, *tout* est gai, dans cette fête qu'est le *matin* nouveau.

D'après George SAND.

*44. Remplacez les points par un attribut du sujet :

1. Les Belges sont... — 2. Si nous sommes..., nous nous con-
cilierons les cœurs. — 3. Le dévouement est... — 4. ...sera votre

avenir si vous manquiez de caractère ? — 5. Les grands cœurs sont... qui se dévouent. — 6. Vous passeriez pour... si vous manquiez à la parole donnée. — 7. En marchant dans la voie de l'honneur, vous vivrez... — 8. Si vous ne dites que la moitié de la vérité, vous serez réputé...

*45. Formez des phrases dans lesquelles les termes suivants soient employés comme attributs du sujet :

a) *Hommes célèbres :* un peintre célèbre — un grand conquérant — un bienfaiteur de l'humanité — un grand roi — un général illustre — un grand poète — un sculpteur de génie — un grand musicien.

b) *Particularités géographiques :* un continent — une grande île — une haute montagne — une mer intérieure — un grand fleuve d'Europe — une très grande ville d'Amérique — un volcan — une république — un royaume — un pays producteur de café — la capitale du Danemark.

c) *Détails empruntés à l'histoire :* braves entre tous les Gaulois — le conquérant de la Gaule — le chef des Éburons — le fils de Pépin le Bref — le chef de la première croisade — vainqueurs des chevaliers français dans la bataille des Éperons d'or — le père de Marie de Bourgogne — le fondateur de notre dynastie.

RÉCAPITULATION

*46. Marquez les sujets du signe *s. ;* — les compléments d'objet directs du signe : *o. dir. ;* — les compléments d'objet indirects du signe *o. ind. ;* — les compléments circonstanciels du signe *c. circ. ;* — les compléments d'agent du signe : *c. d'ag. ;* — les attributs du sujet du signe *attr. s.*

1. Nous nous rappellerons toujours les bienfaits de nos parents. — 2. Nous profitons de bien des avantages que nous ont procurés nos ancêtres. — 3. Vous seriez détestés de tous si vous marchiez dans les sentiers de l'hypocrisie. — 4. Nul n'est heureux en ce monde s'il ne jouit de sa propre estime. — 5. Par l'expérience nous deviendrons circonspects et prudents, nous acquerrons une sagesse pratique qui nous servira en mille occasions. — 6. Partout l'homme de bien est estimé de son entourage.

L'Attribut du complément d'objet.

PRINCIPES

29. L'attribut du complément d'objet est le mot ou groupe de mots exprimant la qualité, la nature, l'état qu'on « attribue » à ce complément d'objet par l'intermédiaire de certains verbes d'action :

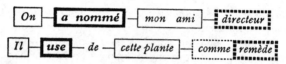

Remarque. — Le plus souvent l'attribut du complément d'objet se construit sans préposition ; avec certains verbes il est introduit par une des prépositions vides *de, en, pour, comme* :

> *On le traite de fourbe. — Ces gens nous reçoivent en amis.*
> *On prend cet homme pour un étranger.*
> *Les soldats considèrent cet officier comme un père.*
> *On se sert de cet homme comme interprète.*

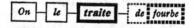

30. Verbes unissant l'attribut au complément d'objet. Les verbes qui relient l'attribut au complément d'objet sont des verbes d'action à l'idée desquels l'esprit associe implicitement l'idée du verbe *être*.

Parmi ces verbes d'action on peut signaler :

accepter pour	croire	établir	proclamer	souhaiter
accueillir en	déclarer	faire	recevoir en	supposer
admettre comme	désirer	imaginer	reconnaître pour	tenir pour
affirmer	désigner pour	juger	regarder comme	traiter de
appeler	dire	laisser	rendre	traiter en
choisir pour	donner	nommer	réputer	traiter comme
consacrer	élire	préférer	retenir	trouver
considérer comme	estimer	présumer	savoir	voir
créer	exiger	prendre pour	sentir	vouloir, etc.

31. Nature de l'attribut du complément d'objet. — L'attribut du complément d'objet peut être :

1º Un nom ou un mot pris substantivement : *Le peuple le fit roi.* — *Je vous nomme* mon second.

2º Un pronom : *Je vous prenais pour celui que j'ai reçu ce matin.*

3º Un adjectif ou une locution adjective : *On dit ce chef* sévère. — *On retrouva l'enfant* sain et sauf.

EXERCICES

*47. Écrivez, en les faisant correspondre sur la même ligne : dans une 1ʳᵉ colonne, les verbes avec leurs sujets ; — dans une 2ᵉ colonne, les compléments d'objet (directs ou indirects) ; — dans une 3ᵉ colonne, les attributs des compléments d'objet.

a) 1. Je vous sais honnête. — 2. On nomma Cicéron consul. — 3. J'appelle un chat un chat. — 4. Il dispose d'un bâton comme arme. — 5. Nos parents nous veulent instruits et sages. — 6. Je vous en fais juge : on nous suppose fourbes. — 7. Ces hommes, vous les estimez coupables ; je les déclare innocents. — 8. Mon frère a les yeux bleus. — 9. Je crois ce bibelot sans valeur.

b) 1. La population accueillit les Américains en libérateurs. — 2. On tient Virgile pour un très grand poète. — 3. Les Belges considèrent Léopold II comme un très grand roi. — 4. Ce raisonnement, je ne saurais le tenir pour valable. — 5. Auguste désigna Tibère pour son successeur. — 6. Comme outil il use de son canif.

*48. Même exercice.

1. Un bon juge ne présume pas coupable l'accusé qu'il interroge. — 2. Je crois sincères des témoins qui se laissent égorger. — 3. On les a réputés vagabonds parce que quelques-uns les ont appelés gueux. — 4. Qui considérerait comme justes des chefs qui choisiraient pour auxiliaires des personnages injustes ? — 5. Reprocherons-nous leurs prévenances à ceux qui nous ont accueillis en amis ? — 6. Ceux que vous regardiez comme vos meilleurs amis vous ont traités en étrangers parce que les revers vous ont rendus pauvres.

*49. Dites quel est l'attribut de chacun des compléments d'objet en italique.

Histoire de pêcheur à la ligne.

— Je t'y prends, mon garçon ! Tu *me* supposes naïf, je crois. Que fais-tu là au bord de la rivière ?

— Mais, monsieur le garde, je…, je ne fais rien, je joue à rien avec cette petite gaule.

— Ah ! tu joues à rien avec ceci, *que* tu appelles une petite gaule ! Mais c'est une canne à pêche, ça, mon garçon… Et ce fil ? …

— C'est un petit fil, un petit bout de fil…

— Un petit bout de fil ? C'est bel et bien une ligne, ça ! Avec un bouchon ! Ce fil, je *le* déclare une ligne ! D'ailleurs qu'y a-t-il au bout de ton fil ? Avoue ! Et ton aveu, fais-*le* franc et net.

— Euh… Il y a… Vous *me* croyez rusé, monsieur le garde… Il y a un ver, un petit ver de rien du tout…

— Nous y voilà, mon garçon ! Je *te* tiens pour un pêcheur à la ligne. Pêche réservée ici ! L'écriteau le dit clairement. Et je *te* déclare passible d'une amende… Tu *te* reconnais coupable, naturellement ?

— Permettez, monsieur le garde, ce ver…

— Hé bien, ce ver ?

— Je le trempais dans l'eau, simplement pour lui faire prendre un bain…

— Fais voir… Ah ! mais alors ! Il n'a pas de caleçon de bain, ton ver ! Conséquemment, je *te* répute passible d'une amende…

*50. Remplacez les points par un attribut du complément d'objet.

1. L'instruction nous rend plus… — 2. La Fontaine appelle le peuple des grenouilles… — 3. La vie de ceux que vous aimez, vous la souhaitez… — 4. Les régions lointaines, nous les imaginons volontiers… — 5. On nous prendrait pour… si nous abandonnions notre poste. — 6. La vie ? Les jeunes gens, tournés vers l'avenir, la croient… ; les vieillards, tournés vers le passé, la trouvent… — 7. D'un homme qui a un pouvoir ou un crédit qui s'étend bien loin on dit qu'il a le bras…

*51. Formez de petites phrases où les termes suivants soient employés comme attributs du complément d'objet :

Président — digne d'estime — sincère — intact — grand — défenseur de la vérité — bon fils.

RÉCAPITULATION

*52. Discernez :

les sujets ;
les compléments d'objet (directs ou indirects) ;
les compléments circonstanciels ;
les compléments d'agent ;
les attributs (du sujet ou du complément d'objet)
et marquez-les chacun du signe abréviatif approprié [*s., — c. o. d., — c. o. ind., — c. circ., — c. ag., — attr. s., — attr. o. d., — attr. o. ind.*].

1. Il ne sied pas que les jeunes gens occupent les premiers rangs dans les assemblées où il y a des vieillards. — 2. Les torts que nous avons faits à autrui, nous les réparerons exactement : ainsi nous redeviendrons dignes de l'estime des gens de bien. — 3. En 496, Clovis fut baptisé par saint Remi, à Reims. — 4. Cet homme use de complaisance envers tous ; il considère chacun comme un frère qu'il faut aimer. — 5. Si l'on vous croit vertueux et que vous ne le soyez pas, votre vertu est une pure hypocrisie.

Le Complément déterminatif du nom ou du pronom.

PRINCIPES

32. Le <u>**complément déterminatif**</u> du nom (ou du pronom) est un nom, un pronom, un infinitif, un adverbe, une proposition se subordonnant à ce nom (ou à ce pronom) pour en limiter, en restreindre le sens :

Bruxelles est la capitale de la **Belgique.**
Comprenez-vous l'importance de **cela ?**
La peur de **mourir.** — *Les hommes* d'**autrefois.**
L'espoir qu'il **guérira** *me soutient.*

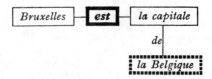

Remarque. — Parmi les pronoms ce sont les pronoms interrogatifs, certains pronoms démonstratifs et certains pronoms indéfinis qui peuvent avoir un complément déterminatif :

> Qui de nous *ne désire être heureux ?*
> Ceux de Liège *furent toujours valeureux.*
> Chacun de vous *fera son devoir.*
> Rien de tout cela *ne me convient.*
> Quiconque de vous *troublera l'ordre sera puni.*

33. Construction. — Le complément déterminatif du nom ou du pronom se construit généralement avec une préposition : *de* (cas le plus fréquent), *à, en, contre, par, pour, sans... :*

> *L'amour* de la patrie. Une table à ouvrage. Un canon contre avions. Le nettoyage par le vide. Un mot pour rire. Une histoire sans paroles.

34. Sens. — Le complément déterminatif du nom ou du pronom peut avoir des sens très variés ; il indique notamment :

l'espèce : *un cor* de chasse.

l'instrument : *un coup* de lance.

le lieu : *la bataille* de Waterloo.

la matière : *une statue* de bronze.

la mesure : *un trajet* de dix lieues.

l'origine : *un jambon* d'Ardenne.

la possession : *le pré* de mon père.

la qualité : *un homme* de cœur.

le temps : *les serfs* du moyen âge.

la totalité : *le tiers* de la somme.

la destination : *une salle* d'escrime.

le contenu : *une tasse* de lait.

EXERCICES

*53. Écrivez, en les faisant correspondre sur la même ligne : dans une 1re colonne : les noms et les pronoms en italique ; — dans une 2e colonne : leurs compléments déterminatifs.

a) 1. La *paix* du cœur est un bien inestimable. — **2.** La *multitude* des étoiles étonne l'imagination. — **3.** Pâle *étoile* du soir, qui brilles au *fond* des cieux, que regardes-tu ? — **4.** Les *côtes* de la

Norvège sont fort découpées ; *celles* de la France ne le sont pas. —
5. La *force* de l'habitude est grande. — 6. Une cervelle oisive est
l'*atelier* du diable. — 7. La *valeur* d'un homme se mesure surtout
à l'*énergie* de son caractère.

b) 1. Un *mot* pour rire devient parfois un *mot* pour pleurer. —
2. Le premier *devoir* du citoyen est l'*obéissance* aux lois. — 3. Le
tir à l'arc est resté en honneur dans certaines *localités* de notre
pays. — 4. *Qui* de vous n'a trouvé du plaisir à suivre des yeux
les *nuages* du ciel ? — 5. *Chacune* des *saisons* de l'année a ses
agréments. — 6. De ce hêtre au feuillage sombre J'entends fris-
sonner les *rameaux*. (Lamartine.) — 7. Rares sont **les** *jours* sans
nuages. — 8. Un effroyable cri sorti du *fond* des flots Des airs en
ce moment a troublé le *repos*. (Racine.) — 9. Parmi les *gens* d'à
présent, il en est qui n'ont pas l'*art* de vivre.

*54. Même exercice.

a) 1. Les jours s'enfuient et nous n'en pouvons fixer la *trace*. —
2. Dieu, dont nous admirons les *œuvres*, est l'*artiste* par excellence.
— 3. Admirez les *héros* de la charité, tous ceux dont la *vie* a été
consacrée au *soulagement* des *maux* de l'humanité. — 4. *Nul* de
vous n'ignore qu'un *effort* pour s'élever peut être le *point* de *départ*
d'une noble existence. — 5. La patrie, à la *grandeur* de laquelle
nous devons travailler, réclame notre dévouement. — 6. Il y a
des *gens* sans bon sens qui croient que leur vie n'aura que des *jours*
de bonheur et qu'ils n'en verront jamais la *fin*.

b) 1. N'est-il pas avéré que l'*art* de vivre en *homme* de bien
est l'*art* d'être heureux ? — 2. La *connaissance* de soi-même est
un excellent *remède* contre l'orgueil. — 3. Comment un *homme*
sans énergie vaincrait-il les *difficultés* de l'existence ? — 4. Les
vieillards disent volontiers : Les *jeunes gens* d'aujourd'hui ne valent
guère *ceux* d'autrefois. — 5. Craignez d'un vain plaisir les trompeuses *amorces*. (Boileau.)

***55. Dites à quel nom ou pronom se rattache chacun des complé-
ments déterminatifs du texte suivant (ils sont en italique) :**

Légende russe.

Un jeune homme, *dont* la condition n'était que modeste, enviait
celle de ses *voisins* et, dans l'amertume de ses *pensées*, il n'était
pas loin de croire que les desseins de la *Providence* étaient injustes

Pourquoi, disait-il, Dieu donne-t-il à ces heureux du *monde* une telle abondance de *ressources*, et à moi rien ?

Un vieillard du *voisinage*, dans la compagnie *duquel* il se plaisait, lui dit : Es-tu aussi dénué de biens que tu le crois ? Le vieillard prit la main du *jeune homme :*

— Cette main, consentirais-tu, pour mille roubles, à *en* perdre l'usage ?

— Non certes.

— Et pour dix mille roubles accepterais-tu de devenir aveugle, de ne plus voir jamais la lumière du *soleil*, le bleu du *ciel*, la verdure des *arbres*, le visage de ta *mère ?*

— Non, non vraiment !

— Et pour dix mille roubles encore, accepterais-tu de ne plus jamais entendre le chant des *oiseaux*, le murmure des *sources*, l'hymne du *vent* dans la cime des *sapins*, et la voix de ta *mère ?*

— Oh ! non, jamais !

— Vois, ajouta le vieillard, la libéralité de la *Providence*, qui t'a donné une telle somme de *richesses…*

*56. Remplacez les points par un complément déterminatif.

a) Idée générale : outils de certains artisans : 1. Le sécateur… — 2. L'alêne… — 3. La varlope… — 4. Les ciseaux… — 5. Le ciseau… — 6. La cognée… — 7. L'équerre… — 8. La lime… — 9. La faux… — 10. La truelle…

b) Idée générale : pays d'où viennent certains produits : 1. Le riz… — 2. Les vins… — 3. Le café… — 4. Le charbon… — 5. Le thé… — 6. Les pâtes… — 7. L'acier… — 8. La laque… — 9. L'ivoire… — 10. Les fourrures… — 11. Les montres… — 12. Le cristal…

*57. Donnez à chacun des noms suivants trois compléments déterminatifs.

Modèle : La paix du cœur. La paix de Westphalie. La paix du crépuscule.

La grandeur — la lutte — le calme — l'espoir — le chant — le retour — le voyage — l'eau — la science.

*58. Formez de petites phrases où les termes suivants soient employés comme compléments déterminatifs :

Soir — âme — vie — travail — amitié — dont — en — nous — chanter — toujours — autrefois — lire — duquel.

RÉCAPITULATION

*59. Discernez :

les sujets ;
les compléments d'objet (directs et indirects) ;
les compléments circonstanciels ;
les compléments d'agent ;
les attributs (du sujet ou du complément d'objet);
les compléments déterminatifs (du nom ou du pronom) — et
marquez-les chacun du signe abréviatif approprié [*s.*, — *c.o.d.*,
— *c. o. ind.*, — *c. circ.*, — *c. ag.*, — *attr. s.*, — *attr. o. d.*, —
c. dét.].

1. La gloire qu'on a acquise doit se mesurer aux moyens dont on a usé pour l'acquérir. — 2. Les chefs-d'œuvre que nous ont laissés les anciens ont été admirés par tous les esprits distingués. — 3. L'ennui est une maladie dont le travail est le remède. — 4. La justice exige que nous rendions à chacun ce qui lui appartient. — 5. Ceux qui vivent sont ceux qui luttent ; ce sont ceux dont un dessein ferme emplit l'âme ; on les sait capables d'accomplir de grandes choses. — 6. La solitude est la patrie des forts, a-t-on dit ; dans le silence de la retraite, on examine sa vie, on réfléchit à ce qu'on a fait, à ce qu'on fera dans l'avenir.

L'Épithète.

PRINCIPES

35. L'**épithète** est un adjectif qualificatif qui se joint étroitement à un nom et qui exprime, sans l'intermédiaire d'un verbe, une qualité de l'être ou de l'objet nommé :

Un homme **juste**. — *Une* **haute** *montagne*.

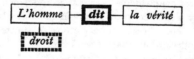

N. B. — L'épithète est dite **détachée** quand elle est jointe au nom (ou au pronom) d'une façon si peu serrée qu'elle s'en **sépare**

par une pause, généralement marquée par une virgule ; elle s'écarte même souvent du nom (ou du pronom) et est fort mobile à l'intérieur de la proposition.

L'*épithète détachée* a quelque chose de la nature de l'attribut, et l'on peut concevoir qu'elle suppose une copule non exprimée.

Les écoliers, joyeux, *applaudissent.* — Joyeux, *les écoliers applaudissent.*

Légère et agile, *Perrette allait à grands pas.*

Le soleil descend, calme *et* majestueux, *à l'horizon.*

L'inondation s'étendait toujours, sournoise.

36. Peuvent, comme l'adjectif qualificatif, être épithètes :

une locution adjective : *Un habit* en lambeaux ;

un participe : *Un problème* résolu ;

un adjectif verbal : *Les brebis* bêlantes ;

un groupe dont le centre est un adjectif, une locution adjective, un participe ou un adjectif verbal : *Un homme* conscient de ses droits. — *Un riche laboureur,* sentant sa mort prochaine, *Fit venir ses enfants.* (La Font.)

EXERCICES

*60. Discernez les noms accompagnés d'une épithète ; écrivez ces noms dans une 1re colonne, — et dans une 2e colonne, en les faisant correspondre sur la même ligne, les épithètes qui s'y rapportent.

1. Une nuit sereine présente à nos yeux le spectacle admirable de la voûte étoilée. — 2. Arbres majestueux ou frêles arbrisseaux, j'aime vos grâces printanières. — 3. Les grandes pensées viennent du cœur. — 4. Il y a plus de vraie grandeur dans une bonne action que dans un beau poème ou dans une victoire éclatante. — 5. Les vieux quartiers des villes ont un charme séduisant. — 6. Au récit des nobles actions, les âmes généreuses s'enflamment. — 7. Il faut que l'on recueille les enfants abandonnés. — 8. J'aime le spectacle des arbres en fleur.

*61. Même exercice.

Le Carillon flamand.

J'aime le carillon de tes cités antiques,
O vieux pays gardien de tes mœurs domestiques,
Noble Flandre, où le Nord se réchauffe engourdi
Au soleil de Castille et s'accouple au Midi !
Le carillon, c'est l'heure inattendue et folle
Que l'œil croit voir, vêtue en danseuse espagnole
Apparaître soudain par le trou vif et clair
Que ferait en s'ouvrant une porte de l'air.
Elle vient, secouant sur les toits léthargiques
Son tablier d'argent plein de notes magiques,
Réveillant sans pitié les dormeurs ennuyeux,
Sautant à petits pas comme un oiseau joyeux...

V. Hugo.

*62. Joignez une épithète à chacun des noms suivants :

a) L'hiver — un spectacle — le pinson — l'Ardenne — un livre — le village — un silence — une nuit.

b) Un vieillard — une mère — une tante — une histoire — un jeu — un ruisseau — une église — une forêt.

c) Un métier — la guerre — la violette — un repentir — des regrets — un fleuve — un champ — du papier — une audace.

d) Une habileté — une maison — une pauvreté — un feu — un brouillard — une pluie — un oiseau — un climat.

*63. Faites entrer chacun des adjectifs suivants dans trois expressions en l'employant chaque fois comme épithète :

Modèle : *Haut :* Une haute montagne ; une âme haute ; la haute mer.

Grand — blanc — profond — sombre — clair — puissant— gai — noble — nouveau — frais — froid.

*64. Discernez les épithètes détachées et écrivez, en les faisant correspondre sur la même ligne :

dans une 1re colonne : les noms (ou pronoms) auxquels elles se rapportent ;

dans une 2e colonne : les épithètes détachées.

a) 1. Le soleil, radieux, illumine la cime des arbres. — 2. Voici des fleurs, fraîches comme le matin clair. — 3. Une hirondelle, vive et preste, passe obliquement devant ma fenêtre. — 4. J'aime les bois ombreux, où les écureuils gambadent, légers, parmi les hautes branches. — 5. Ayant chanté tout l'été, la cigale se trouva fort dépourvue quand la bise fut venue. — 6. Honteux d'avoir été dupé, le corbeau jura qu'on ne l'y prendrait plus.

b) 1. Silencieux, le vieillard songe. — 2. Le chêne se dresse fièrement sur la colline, droit dans la lumière. — 3. Au loin une rumeur emplissait l'air, sourde comme un lointain grondement d'orage. — 4. Alertes, nous allons par monts et par vaux. — 5. Au fond du firmament, l'étoile du soir veillait, pensive. — 6. Déjà, les premières gouttes de pluie, larges et tièdes, tombaient.

*65. Distinguez les adjectifs épithètes (que vous marquerez du signe *ép.*) des adjectifs attributs (que vous marquerez du signe *attr.*) ; — discernez aussi les épithètes détachées (que vous marquerez du signe *ép. dét.*).

La Vieille Église bretonne.

Au milieu d'un petit village gris, la vieille église bretonne, humble et nue, n'a pas de belles statues, pas de tableaux aux murs ; elle est pauvre. Dans un coin du chœur, qui paraît sombre, une mèche par terre, brûle, tremblotante, dans un petit verre rempli d'huile. Des piliers ronds supportent la voûte de bois dont la couleur bleue est fanée. Par les fenêtres à vitrail blanc arrive la grande lumière des champs, verdâtre à cause du feuillage voisin. La porte reste ouverte ; des moineaux, bavards et effrontés, entrent, tourbillonnent sous la voûte basse et se jouent autour de l'autel. En voici deux qui, plus hardis, viennent tremper leur bec dans le bénitier. Puis tous repartent ensemble, joyeux. Ces moineaux sont si familiers qu'ils viennent mêler leurs pépiements monotones aux prières des offices. Il arrive que, pendant l'orage, l'homme et l'oiseau, ces deux frêles créatures, entrent à la fois dans la demeure bénie pour y chercher la protection divine.

D'après FLAUBERT.

L'Apposition.

PRINCIPES

37. L'apposition est nom ou un pronom (parfois un infinitif ou une proposition) que l'on place à côté d'un nom pour définir ou qualifier l'être ou l'objet nommé ; l'apposition est comparable à l'attribut, mais le verbe copule est absent :

L'hirondelle, **messagère du printemps,** *revient.*

Le lion, **roi des animaux,** *tint conseil.* — *Un enfant* **prodige.**

Les chefs **eux-mêmes** *étaient découragés.*

On leur donne à **chacun** *leur tâche.*

Je désire une seule chose : **réussir.**

Il fit le geste **de chasser une mouche.**

Je désire une seule chose : **que vous soyez heureux.**

38. A quoi l'apposition se joint. — C'est le plus souvent à un *nom* que l'apposition se joint, mais elle peut aussi se joindre à un *pronom*, à un *infinitif*, à une *proposition :*

C'est à moi, **confident** *de ses peines, qu'il a voulu parler.*

Consoler, **cet art si délicat,** *est parfois bien difficile.*

Des vagues énormes accourent, **spectacle impressionnant.**

Remarques. — 1. Le plus souvent l'apposition se construit sans préposition. Parfois le nom apposé et le nom auquel il se rapporte sont unis par la préposition vide *de :*

La ville **de Liège.** — *Ce fripon* **de valet.**

2. Le plus souvent l'apposition suit le terme auquel elle se rapporte, mais elle peut aussi le précéder :

> **Gardien vigilant**, *le chien aboie au moindre bruit.*
> *C'est l'heure où,* **troupe joyeuse**, *les écoliers quittent la classe.*

3. Dans des expressions telles que *cet amour de petite fille, ce fripon de valet,* le second nom est construit comme une apposition pour mettre en relief le premier nom [1].

39. Comment discerner l'apposition.

— L'apposition désigne toujours *le même* être ou objet que le terme auquel elle est jointe (tandis que le complément déterminatif désigne *un autre* être ou objet que le terme auquel il est joint).

Remarques. — 1. Dans des expressions telles que *la ville de Liège, le mois de mai, le nom de mère, la comédie des Plaideurs,* c'est le second nom qui est l'apposition [2].

2. Voici la méthode préconisée par le *Code de Terminologie* du Ministère belge de l'Instruction publique (éd. revue, 1957) pour distinguer, dans des expressions comme *le mois de mai, le nom de mère, la rue du Temple,* l'apposition du complément déterminatif : « Dans *le mois de mai,* on attribuera la fonction d'apposition à *mai,* parce qu'on peut dire : « *mai* est un mois » ; de même à propos de la phrase *Le nom de mère est doux,* on peut dire : « *mère* est ici un nom ». Mais dans *la rue du Temple,* il y a un complément déterminatif, car le temple n'est pas une rue ».

3. Il est sans intérêt de chercher à reconnaître, dans des expressions comme *le philosophe Platon, le mont Sinaï, Son Éminence le Cardinal,* — dont les éléments ne sont pas unis par *de,* — quel est l'élément qui est l'apposition ; on se contentera de dire, dans de tels cas, qu'on a deux *éléments juxtaposés* [2].

EXERCICES

*66. Discernez les appositions et écrivez, en les faisant correspondre sur la même ligne :

dans une 1re colonne : noms (ou autres éléments) auxquels les appositions se rapportent ;

---

1. Opinion du *Code de Terminologie grammaticale* du Ministère belge de l'Instruction publique (éd. revue, 1957).

2. Convention adoptée par le *Code de Terminologie grammaticale* du Ministère belge de l'Instruction publique.

dans une 2e colonne : les appositions.
Notez à part les « éléments juxtaposés».

a) 1. La rose, reine des fleurs, exhale un parfum suave. — 2. J'aime l'automne, saison voilée, et les joies tranquilles qu'il nous apporte. — 3. Là-bas, un passant, vague silhouette, se hâte dans le brouillard. — 4. Le bon livre, cet ami, nous instruit, nous élève et nous charme. — 5. La planète Mars est d'une couleur orangée. — 6. Léopold 1er, fondateur de notre dynastie, fut le père de la patrie. — 7. Vous avez vous-même constaté le fait. — 8. Il ne demande qu'une faveur : travailler.

b) 1. Butineuse infatigable, l'abeille est toute à son travail. — 2. Répertoire de beaux exemples, notre histoire nationale nous donne de hautes leçons. — 3. Je soussigné, docteur en médecine, certifie que Monsieur Durand, comptable, est atteint de bronchite chronique. — 4. Étudier, obligation parfois pénible, nous vaut des joies profondes. — 5. L'astronome Copernic démontra que la terre tourne autour du soleil. — 6. Grand consolateur, dérivatif à nos soucis, le travail calme les angoisses de notre esprit et féconde notre intelligence. — 7. Je vous ai assigné à chacun votre mission. — 8. Vos parents ne désirent qu'une chose : que vous soyez heureux.

*67. Même exercice.

a) 1. Le mot de patrie est un beau mot. — 2. La ville de Tongres est une des plus anciennes de notre pays. — 3. Moïse, législateur des Hébreux, reçut le Décalogue sur le mont Sinaï. — 4. Capitaine renard allait de compagnie Avec son ami bouc des plus haut encornés. (La Font.) — 5. Prenez ces livres et rangez-les tous sur ce rayon.

b) 1. Le docteur Alexis Carrel nous a parlé de l'homme, cet inconnu. — 2. Dans la saison d'hiver, la cigale, cette imprévoyante, se trouva fort dépourvue. — 3. Les enfants, troupe insouciante, chantaient : C'est le joli mois de mai ! — 4. Le roi Albert a succédé à Léopold II, son oncle, en 1909. — 5. J'ai vu, spectacle affligeant, un fils insulter son père. — 6. Le fait de pleurer n'est pas nécessairement un signe de tristesse.

*68. Distinguez les appositions (que vous marquerez du signe *app.*) des compléments déterminatifs (que vous marquerez du signe *c. dét.*).

Zénobe Gramme.

Merveilleux exemple, la vie de longues recherches et de travail fécond que fut celle de Zénobe Gramme, cet enfant du peuple, est une admirable réponse aux théories qui dénient aux humbles le pouvoir de conquérir un rang parmi les hommes illustres. Gramme avait un puissant esprit d'observation, faculté précieuse, qui saisit les faits, aperçoit leurs rapports et engendre les inventions. Il avait aussi une infatigable ardeur au travail, la bonté, la quiétude d'esprit, qualités non moins précieuses. Il possédait en outre la patience et la volonté, ressources essentielles sans lesquelles l'inspiration du génie risque de demeurer stérile. Le mot de génie n'est pas ici trop fort, car c'est à Gramme, simple menuisier, que l'on doit la dynamo, ce puissant levier de progrès. Humble ouvrier, il a pu, au prix de quels sacrifices ! inscrire son nom dans les fastes de l'industrie électrique. Honneur à lui !

*69. Remplacez les points par une apposition.

1. La violette, ..., exhale un parfum discret. — 2. ..., l'hirondelle nous revient dès les premiers beaux jours. — 3. L'alcoolisme, ..., exerce d'affreux ravages. — 4. Victor Hugo, ..., a écrit des vers admirables sur l'enfance. — 5. ..., le chien défend notre demeure.

*70. Joignez une apposition à chacun des mots suivants, que vous ferez entrer dans une petite phrase :

La patience — le vent — Rubens — la lune — Astrid — l'oisiveté — la Semois — le moineau — l'or.

Le Complément de l'adjectif.
Le Complément du comparatif.
Le Complément de mots invariables.

PRINCIPES

40. Le **complément de l'adjectif** est un mot ou un groupe de mots qui se joint à cet adjectif pour en préciser le sens. Ce complément peut être ·

1º Un nom ou un mot pris substantivement : *Un élève certain du succès*, *soucieux* de l'utile. *Un enfant sage* comme une image [1].

2º Un pronom : *Noble patrie, nous serons dignes* de toi.

3º Un infinitif : *Cet enfant est enclin* à mentir.

4º Une proposition : *C'est un scélérat, digne* qu'on le confonde.

41. Parmi les compléments de l'adjectif, il y a le **complément du comparatif**, qui exprime le deuxième terme de la comparaison [2]. Il s'introduit généralement par la conjonction *que :*

Pierre est moins studieux que son frère.

Le jour n'est pas plus pur que le fond *de mon cœur.* (Racine.)

Remarque. — Certains adjectifs exprimant par eux-mêmes une idée d'égalité ou d'inégalité : *autre, le même, tel* se construisent avec **que** ; *différent* se construit avec **de** ; — *égal, inégal, pareil, semblable, antérieur, postérieur, inférieur, supérieur* se construisent avec **à.**

42. Certains mots invariables peuvent avoir un complément :

1º le **complément de l'adverbe** ; ce complément peut être : un autre adverbe, un nom, un pronom :

Vous arrivez trop tard. — *Agissons conformément* à la loi.

Heureusement pour lui, *ses appels furent entendus.*

Remarque. — Dans des expressions telles que : *assez de gens, beaucoup de fautes, combien d'hommes, peu d'argent, pas mal de monde, tant de patience, trop de vanité,* etc., on peut considérer que l'on a les adverbes *assez, beaucoup, combien, peu, pas mal, tant, trop,* suivis de leur complément. (On peut aussi considérer *assez de, beaucoup de, combien de, peu de, pas mal de, tant de, trop de,* comme équivalant à des adjectifs indéfinis.)

2º le **complément de la préposition** ; c'est un adverbe :

Il se tient tout contre le mur.

J'écrirai aussitôt après votre départ.

3º le **complément de la conjonction de subordination** ; ce complément est un adverbe :

Il part bien avant que l'heure sonne.

Il arrive longtemps après que le spectacle est fini.

---

1. *Comme une image* est un complément de comparaison de l'adjectif *sage :* il est introduit par la conjonction *comme,* jouant le rôle d'une préposition.

2. Voir la note au bas de la page **144.**

4º le **complément du présentatif** *voici* ou *voilà* :

> *Voici* le jour. — *Voici* pour ta peine.
> *Voilà* qu'une ondée vint à tomber.

5º le **complément de l'interjection** :

> *Adieu* pour jamais !
> *Gare* la prison ! — *Gare* à la ruade
> *Gare* que la glace ne cède !

EXERCICES

*71. Distinguez les compléments d'adjectif et écrivez, en les faisant correspondre sur la même ligne :
dans une 1ʳᵉ colonne : les adjectifs ayant un complément ;
dans une 2ᵉ colonne : les compléments de ces adjectifs.

a) 1. Vivons de telle sorte que nous soyons toujours dignes d'estime. — 2. Un homme droit est fidèle à ses promesses. — 3. Il faut être indulgent pour autrui et sévère pour soi-même. — 4. Certaines gens se disent aptes à tout, mais ne sont capables de rien. — 5. Dieu soit propice à vos vœux ! — 6. La Hesbaye est fertile en blé. — 7. Honte à ceux qui se montrent ingrats envers leurs bienfaiteurs !

b) 1. Honteux d'avoir été dupé, le corbeau jura qu'il serait à l'avenir plein de défiance à l'égard du renard. — 2. Soyez bons même pour ceux qui vous sont hostiles. — 3. Les biens dont l'avare est si avide seront fatals à son repos. — 4. Il arrive qu'un ami dont on était sûr soit oublieux des devoirs de l'amitié. — 5. La tranquillité de la campagne est propre à calmer les nerveux.

*72. Remplacez les points par un complément de l'adjectif.

1. Des aliments impropres à... — 2. Un voyageur impatient de... — 3. Un élève désireux de... — 4. Un concurrent sûr de... — 5. Une région fertile en... — 6. Une démarche incompatible avec... — 7. Un tigre altéré de... — 8. Un père mécontent de... — 9. Le courage nécessaire pour... — 10. Rester semblable à... — 11. Se rendre utile à... — 12. Un fils ingrat envers...

*73. Donnez un complément à chacun des adjectifs suivants et formez chaque fois une expression (voir l'exercice précédent) :

enclin à	fier de	bon à	furieux contre
charitable envers	attentif à	célèbre par	jaloux de
cher à	prodigue de	prêt à	oublieux de
reconnaissant de	responsable envers	odieux à	précieux pour
susceptible de	grand par	semblable à	capable de

*74. Discernez les compléments du comparatif et écrivez, en les faisant correspondre sur chaque ligne :

dans une 1re colonne : les comparatifs ;
dans une 2e colonne : les compléments s'y rapportant.

a) 1. Quoi de plus noble que la vertu ? — 2. Le fer est plus utile que l'or. — 3. Rien n'est moins stable que la fortune. — 4. Les vrais amis sont plus rares que les diamants. — 5. Un homme d'honneur est aussi admirable qu'un grand homme. — 6. Qui est aussi puissant que le maître de l'univers ? — 7. Cet homme est aussi bon que sage.

b) La souris est plus petite que le rat, mais elle n'est pas moins vorace que lui. — 2. Les maux d'autrui nous paraissent moindres que les nôtres. — 3. Un coup de langue, dit le proverbe, est parfois pire qu'un coup de lance. — 4. L'émulation nous porte à ne pas être inférieur aux gens de mérite. — 5. Les réalisations pratiques de l'aviation ne sont pas antérieures au vingtième siècle.

*75. Remplacez les points par un complément du comparatif.

1. L'hiver n'est-il pas, par certains côtés, aussi agréable... ? — 2. Une bonne conscience est plus précieuse... — 3. Le chat est beaucoup moins fidèle... — 4. Quel oiseau est, par le plumage, plus séduisant... ? — 5. Connaissez-vous un spectacle plus émouvant... — 6. L'opinion publique n'est pas moins versatile... — 7. Il ne faudrait pas qu'un chef fût, en fait de compétence, inférieur...

*76. Discernez les compléments de l'adverbe et écrivez, en les faisant correspondre sur la même ligne :

dans une 1re colonne : les adverbes ayant un complément ;
dans une 2e colonne : les compléments s'y rapportant.

1. Il faut aimer Dieu préférablement à toutes choses. — 2. Agissons toujours conformément aux prescriptions de la justice et de l'honneur. — 3. Si, dans des situations graves, vous prenez une décision indépendamment de vos parents, vous risquez d'avoir à

vous en repentir. — 4. La justice veut que chacun soit récompensé proportionnellement à ses mérites. — 5. Où seriez-vous mieux ailleurs que dans votre famille ? — 6. Si quelqu'un pense autrement que vous sur une question, est-ce nécessairement lui qui se trompe ?

*77. Faites entrer dans de courtes phrases les adverbes suivants, en joignant à chacun d'eux un complément :

Longtemps — préférablement — malheureusement — beaucoup — volontiers — jamais.

*78. Écrivez dans une 1re colonne : les prépositions, les conjonctions de subordination, les présentatifs *voici* ou *voilà*, les interjections, — et dans une 2e colonne, en les faisant correspondre sur la même ligne, les compléments s'y rapportant.

a) 1. J'étais ici bien avant l'heure. — 2. Voilà tous mes forfaits ; en voici le salaire. (Racine.) — 3. Gare la cage ou le chaudron ! (La Font.) — 4. Aussitôt après qu'il a fait quelque effort, le paresseux se sent fatigué. — 5. Motus sur tout ceci !

b) 1. Si vous vous liez avec les fourbes, gare aux conséquences ! gare qu'ils ne vous entraînent aux pires malhonnêtetés ! — 2. Agissons toujours avec droiture, exactement comme le devoir le commande. — 3. Le renard se tenait juste au-dessous de la branche où le corbeau était perché. — 4. Le ciel était serein ; voilà qu'un coup de tonnerre éclata justement quand nous allions partir. — 5. Quand nous étions petits, au moindre danger, nous nous serrions tout contre notre mère.

Le Mot mis en apostrophe. Le Mot explétif.

PRINCIPES

43. Le **mot mis en apostrophe** est un nom ou un pronom désignant l'être ou la chose personnifiée à qui on adresse la parole :

Poète, *chante la gloire de la patrie !*
Cieux, *racontez la gloire de Dieu !*
Vous, *récitez votre leçon.*

44. Le **mot explétif** est un pronom personnel marquant l'intérêt que prend à l'action la personne qui parle, ou indiquant qu'on sollicite le lecteur ou l'auditeur de s'intéresser à l'action exprimée par le verbe :

Je **vous** *lui ai fait un sermon bien senti, je vous assure !*
*Goûtez-***moi** *ce vin-là...*

EXERCICES

*79. Encadrez les mots mis en apostrophe et marquez-les chacun du signe *ap.*

1. Homme, admire ta grandeur. — 2. Soyez toujours, chers élèves, attentifs à bien faire. — 3. Sire, disait le renard au lion, vous êtes trop bon roi. — 4. Vous qui pleurez, venez à ce Dieu car il pleure. (Hugo.) — 5. O cher pays, à toi nos cœurs, à toi nos bras ! — 6. Que j'aime à vous revoir, vallons de mon enfance ! — 7. O flots, que vous savez de lugubres histoires ! (Hugo.) — 8. Sachez, monsieur, que j'abhorre le mensonge.

*80. Transformez les phrases suivantes, de telle manière que les mots en italique soient mis en apostrophe .

Modèle : Le parfum de la *rose* est suave. *Rose*, ton parfum est suave.

1. Que le nom de notre *Père*, qui est aux cieux, soit sanctifié. — 2. Qu'elle est douce à mon cœur, la *voix* de la forêt ! — 3. Que cache dans ses plis la sombre *nuit* d'hiver ? — 4. J'aime ma *grand-mère*, qui comprend si bien mes petits chagrins. — 5. Mes chers *amis* m'ont aidé à sortir de cette difficulté. — 6. Avec quel amour ma *mère* se penchait sur mon berceau ! — 7. La *maison* natale nous accueille toujours avec une douce complaisance.

*81. Formez de petites phrases dans lesquelles les termes suivants soient mis en apostrophe :

Meuse — Dieu — village — étoile du soir — mer — sapins — hirondelle — vous — toi.

*82. Encadrez les mots explétifs et marquez-les du signe *expl.*

1. Prenez-moi donc la ferme résolution de travailler ! — 2. Là-dessus, le renard sort du puits, laisse le bouc au fond et vous lui

fait un beau sermon pour l'exhorter à la patience. — 3. Avez-vous vu comme je vous lui ai appris la politesse ? — 4. Allons ! franchissez-moi cet obstacle ! — 5. Otez-moi cela de dessus la table, cria le chef cuisinier. Voici une dinde : qu'on me la plume prestement et qu'on me la fasse rôtir à feu doux ! — 6. Je te vous lui ai bientôt eu réglé son compte !

*83. Introduisez dans chacune des phrases suivantes un mot explétif :

1. Otez-donc ces toiles d'araignée, dit la maîtresse de maison. — 2. Dépêchons-nous ! Chargez ces ballots, et en route ! — 3. Je lui ai administré une de ces corrections !... — 4. Jetez cet énergumène hors d'ici. — 5. Je lui ai fait une leçon dont il gardera le souvenir, croyez-le bien.

EXERCICES RÉCAPITULATIFS

*84. Mettez sous chacun des mots en italique le signe abréviatif approprié indiquant sa fonction.

La Ville s'éveille.

Déjà l'orient blanchit. *Il* circule de *vagues remous* dans les premières *lueurs* de l'*aube*. La *lumière* vient ; on *la* croirait *lointaine* encore, mais *elle* est *proche*. Au haut de la *tour*, la *girouette*, *encline* à l'*instabilité*, se remue *doucement ;* l'air chauffé sort de sa *torpeur* et court, *léger*, le long des *rues*. Puis viennent des *souffles*, des sons *indécis*, comme si chaque demeure, *lourde* de *sommeil*, s'étirait au *fond* d'une alcôve bien *fermée*. Alors se lèvent, *isolés*, les *bruits* des *vivants :* claquement de sabots, aboi de *chien*, grincement de roue, hennissement. *Vibrante*, la *lumière* croît : *elle* se coule vers les *cieux*, caresse la *pénombre* afin qu'elle consente au *départ*. Brusquement, à la *pénombre* succède la pleine *lumière ;* le monde *lui* appartient ! Salut, *joyeux matin !*

D'après É. ESTAUNIÉ.

*85. Même exercice.

La Prairie en fleur.

Voici que, dans la splendeur de juin, la *prairie* est toute *fleurie*. Les marguerites, *luisantes* de *lumière*, effacent par plaques le *vert blondissant* des *tiges* et des graines. Ici brillent, *éclatants*, les *boutons d'or*, là s'étendent les *taches mauves* des *trèfles*. Chaque *pas qu'*on fait rompt des *herbes* enlacées. Le *vent* suscite, des *profondeurs* de l'herbe, des *reflets qui* ressemblent à *ceux qui* courent sur le *dos* des grandes *vagues ;* il emporte le *pollen* des *fleurs*, *poussière* plus légère qu'un *brouillard* d'écume. *Il* circule des *senteurs* pénétrantes ; toutes les *bêtes qui* habitent la *terre* crient, *ivres* de *parfums*, au bord de leurs *trous*. Partout *il* règne une *plénitude tranquille ;* la vie, nuit et jour, roule ses *houles* et la *nature entière* respire le *contentement*.

D'après R. Bazin.

*86. Indiquez la fonction des mots en italique en marquant chacun d'eux du signe abréviatif approprié.

Paysage paisible.

A travers la *futaie* toute vibrante de *lumière*, un *ruisseau* flânait, *clair* et jaseur. Les hêtres élançaient d'un jet leurs *fûts sveltes ;* leurs cimes là-haut se croisaient dans la grande *lumière*, *qu'*elles tamisaient mollement ; les dessous des *feuillées* étaient *colorés* de tons *qu'*un peintre eût trouvés *exquis*. La gamme des *verts* offrait au *regard* les *nuances* les plus douces. Parfois l'*envolée* d'un *oiseau* écartait les ramures de la *voûte :* un rayon de soleil tombait par cette *trouée*, jetant des reflets pareils à des *éclaboussures* d'or. *Il* flottait là une *délicieuse fraîcheur*. A cent pas, dans l'*herbe* du *talus*, une *paysanne* en tablier *bleu* était agenouillée au bord du ruisseau et lavait son *linge*. A l'arrière-plan, un *moulin dont on* apercevait les *murs* gris mêlait son tic-tac aux *claquements* frais du *battoir*. Je *t'*aime, paisible *retraite*, *dont* la grâce a été chantée par les *poètes*. Que *je* vivrais *heureux* sous tes *ombrages !*

DEUXIÈME PARTIE

ANALYSE DES MOTS

Analyse du Nom.

PRINCIPES

45. Pour analyser le **nom,** on en indique :

1º La nature et l'espèce : nom commun ou nom propre ;

2º Le genre et le nombre ;

3º La fonction :

sujet ;

attribut (du sujet ou du complément d'objet) ;

apposition ;

mis en apostrophe ;

complément
{
d'objet (direct ou indirect) ;

circonstanciel (de lieu, de temps, de cause, de manière, de moyen, de but, d'instrument, etc. ;

d'agent du verbe passif ;

déterminatif ;

de l'adjectif (quand il y a lieu : complément du comparatif) ;

de l'adverbe ;

du présentatif ;

de l'interjection.

46. Modèles d'analyse :

1. *L'homme, par le travail, dompte les forces de la nature.*
2. *Chers élèves, vos parents seront fiers de vos succès ; vous serez leur joie quand vous serez loués par vos professeurs.*
3. *Reine des fleurs, la rose charme nos regards.*

1. homme : nom commun ; masc. sing. ; sujet de *dompte*.
   travail : nom commun ; masc. sing. ; compl. circ. de moyen de *dompte*.
   forces : nom commun ; fém. plur. ; objet direct de *dompte*.
2. élèves : nom commun ; masc. plur. ; mis en apostrophe.
   parents : nom commun ; masc. plur. ; sujet de *seront*.
   succès : nom commun ; masc. plur. ; compl. de l'adj. *fiers*.
   joie : nom commun ; fém. sing. ; attribut du sujet *vous*.
   professeurs : nom commun ; masc. plur. ; compl. d'agent de *serez loués*.
3. reine : nom commun ; fém. sing. ; en apposition à *rose*.
   fleurs : nom commun ; fém. plur. ; compl. déterminatif de *reine*.
   rose : nom commun ; fém. sing. ; sujet de *charme*.
   regards : nom commun ; masc. plur. ; objet direct de *charme*.

EXERCICES

*87. Analysez les noms.

1. L'homme droit écoute la voix de sa conscience. — 2. Le printemps est une saison agréable. — 3. L'instruction est un vrai trésor. — 4. Vos marques de reconnaissance réjouiront le cœur de vos parents. — 5. Le fer est plus utile que l'or. — 6. La Belgique est ma patrie. — 7. Rubens, peintre illustre, vivait à l'époque des archiducs Albert et Isabelle. — 8. Vous jouez avec le feu : gare aux conséquences !

*88. Même exercice.

1. Corneille est un grand poète tragique. — 2. Homme, admire ta grandeur. — 3. Il faut du courage pour supporter les maux de cette vie et pour ne pas consentir aux suggestions du mal. — 4. Par la patience, l'homme possédera son âme. — 5. Il est une heure délicieuse quand vient le soir et que le calme de la nature nous invite à la rêve-

rie. — 6. A l'homme droit va notre estime. — 7. Le poète aime à se promener, le soir, en contemplant la voûte étoilée. — 8. L'honneur est un bien plus précieux que la fortune. — 9. Nulle paix pour l'impie.

*89. Même exercice.

1. A un homme riche de biens je préfère un homme riche de mérites. — 2. Conformément à la prudence, on ne remet pas au lendemain un travail que l'on peut faire le jour même. — 3. Lorsque Dieu forma le cœur de l'homme, il le doua premièrement de la bonté. — 4. Le ciel ressemble à un rideau tout uni ; pas un nuage ; partout un bleu uniforme. — 5. La vie de l'homme est semblable à un chemin dont l'issue est un précipice. — 6. Adieu l'hiver ! Voici les beaux jours !

*90. Discernez les noms et analysez-les.

Paysage d'hiver.

L'allée est droite et longue, et sur le ciel d'hiver
Se dressent hardiment les grands arbres de fer,
Vieux ormes dépouillés dont le sommet se touche.
Tout au bout, le soleil, large et rouge, se couche.
A l'horizon il va plonger dans un moment.
Pas un oiseau. Parfois un lointain craquement
Dans les taillis déserts de la forêt muette ;
Et là-bas, cheminant, la noire silhouette,
Sur le globe empourpré qui fond comme un lingot,
D'une vieille à bâton, ployant sous son fagot.

Fr. COPPÉE.

*91. Même exercice.

Réveil aux champs.

O frais réveil dans la maison des champs :
Un flux joyeux clapote à ma croisée !
C'est la lumière où scintillent des chants
    Comme un tintement de rosée.

Entre, ô matin, et caresse mes yeux,
Mes mains, mes bras, mes cheveux, mon visage ;
Fais à mon cœur ce présent radieux :
    La pureté du paysage.

Les bois lointains par la brume bleutés
Gardent encor le charme du mystère,
Mais le soleil rend à leur vérité
    Les lignes dures de la terre.

C. MELLOY.

Analyse de l'Article.

PRINCIPES

47. Pour analyser l'**article,** on en indique :

1º La nature et l'espèce :

    article défini (dire, quand il y a lieu, s'il est élidé ou contracté) ;

    article indéfini ;

    article partitif.

2º Le genre et le nombre :

3º La fonction : de quel nom il est déterminatif.

48. Se rappeler les formes de :

L'ARTICLE DÉFINI : **le, la, les.**

   —   ÉLIDÉ : **l'.**

   —   CONTRACTÉ : **du** (= de la) ; **des** (= de les) ;

                 au (= à le) ; **aux** (= à les).

L'ARTICLE INDÉFINI : **un, une, des.**

L'ARTICLE PARTITIF : **du, de la, de l', des.**

N. B. — La préposition *de* peut servir d'article partitif ou indéfini (§ 13, Rem. 2).

49. Modèles d'analyse :

1. Le *travail est* un *trésor.*
2. L'*oisiveté est* la *mère* des *vices.*
3. On *voyait* de la *poussière partout.*
4. Il *n'a pas* de *pain.*
5. J'*ai mangé* de *bonnes noix.*

1. **le** : article défini ; masc. sing. ; déterminatif de *travail*.
 un : article indéfini ; masc. sing. ; déterminatif de *trésor*.
2. **l'** : article défini, élidé ; fém. sing. ; déterminatif de *oisiveté*.
 la : article défini ; fém. sing. ; déterminatif de *mère*.
 des : article défini, contracté (= *de les*) ; masc. plur. ; détermine *vices*.
3. **de la** : article partitif ; fém. sing. ; déterminatif de *poussière*.
4. **de** : préposition servant d'article partitif ; déterminatif de *pain*.
5. **de** : préposition servant d'article indéfini ; déterminatif de *noix*.

EXERCICES

*92. Analysez les articles.

1. Le vent souffle dans la ramure. — 2. L'hirondelle est la reine de l'air. — 3. De la patience est nécessaire dans les difficultés de l'existence. — 4. La solitude est la patrie des forts. — 5. Une vie oisive est une mort anticipée. — 6. L'ombre des peupliers tremble sur l'eau du fleuve. — 7. La paresse va si lentement que la pauvreté l'atteint bientôt. — 8. Ils n'ont pas de vin. — 9. J'ai de bons fruits.

*93. Même exercice.

1. L'habitude est une seconde nature. — 2. L'alouette, dans les hauteurs du ciel, chante l'hymne de la joie. — 3. Les yeux sont des miroirs de l'âme. — 4. Il faut aux plantes de l'air, de la lumière, de l'eau. — 5. De la glace couvrait les fossés de la ferme. — 6. Il convient que la puissance d'un prince ne soit redoutable qu'aux méchants. — 7. Des reflets brillent au sommet de la tour. — 8. Une source jaillit au creux du rocher. — 9. Il n'a pas de force.

*94. Discernez les articles et analysez-les.

Forêts d'Amérique.

Qui dira le sentiment qu'on éprouve en entrant dans ces forêts aussi vieilles que le monde et qui seules donnent une idée de la création telle qu'elle sortit des mains de Dieu ? Le jour, tombant d'en haut à travers un voile de feuillage, répand dans la profondeur du bois une demi-lumière changeante et mobile, qui donne aux objets une grandeur fantastique. Partout il faut franchir des arbres abattus, sur lesquels s'élèvent d'autres générations d'arbres.

CHATEAUBRIAND.

RÉCAPITULATION

*95. Analysez les mots en italique.

Des Canards effrontés.

Vers le *milieu du jour*, pendant *une halte* pour faire reposer nos *chevaux* au creux d'une *vallée* d'ombre, dans un village perdu appelé Veyrac, nous nous assîmes *au pied* d'un châtaignier, — et là nous fûmes attaqués par *les canards* de *l'endroit*, les plus hardis, les plus mal élevés du monde, s'attroupant autour de nous avec *des* cris de la plus haute *inconvenance*. Au départ donc, quand nous fûmes remontés dans notre *voiture*, ces *bêtes* s'acharnant toujours à nous poursuivre, ma sœur se retourna vers eux et, avec la dignité *du* voyageur antique outragé par une *population* inhospitalière, s'écria : « *Canards* de *Veyrac*, soyez maudits ! »

P. LOTI.

Analyse de l'Adjectif.

PRINCIPES

50. Pour analyser l'**adjectif,** on en indique :

1º La nature et l'espèce :

adjectif qualificatif ;   adjectif relatif ;
— numéral (cardinal   — interrogatif ;
     ou ordinal) ;   — exclamatif ;
— possessif ;   — indéfini.
— démonstratif.

2º Le genre et le nombre ;

3º La personne, pour les adjectifs possessifs ;

4° La fonction :

    a) Pour l'adjectif qualificatif :

        épithète ;

        épithète détachée (du nom ou du pronom) ;

        attribut (du sujet ou du complément d'objet) ;

    b) Pour les autres adjectifs : de quel nom (ou pronom) ils sont déterminatifs.

51. Se rappeler les formes :

ADJECTIFS POSSESSIFS :

    1re pers. : **mon, ma, mes, notre, nos.**

    2e pers. : **ton, ta, tes, votre, vos.**

    3e pers. : **son, sa, ses, leur, leurs.**

ADJECTIFS DÉMONSTRATIFS : **ce, cet, cette, ces.**

ADJECTIFS RELATIFS :

    lequel, laquelle, lesquels, lesquelles ;

    duquel, de laquelle, desquels, desquelles ;

    auquel, à laquelle, auxquels, auxquelles.

ADJECTIFS INTERROGATIFS :

    quel... ? quelle... ? quels... ? quelles... ?

ADJECTIFS EXCLAMATIFS : **quel... ! quelle... ! quels... ! quelles... !**

ADJECTIFS INDÉFINIS :

aucun	**divers**	**même**	**quel**
autre	**je ne sais quel**	**nul**	**quelconque**
certain	**l'un et l'autre**	**pas un**	**quelque**
chaque	**n'importe quel**	**plus d'un**	**tel**
différents	**maint**	**plusieurs**	**tout**

52. Modèle d'analyse :

Le **gai** *printemps arrive ; le ciel est* **bleu** *;* **deux** *hirondelles volent,* **légères,** *sous* **ma** *fenêtre ; je trouve* **ces** *oiseaux* **heureux.** **Toute** *vie chante le renouveau.*

gai : adjectif qualificatif ; masc. sing. ; épithète de *printemps.*

bleu : adjectif qualificatif ; masc. sing. ; attribut du sujet *ciel.*

deux : adjectif numéral cardinal ; détermine *hirondelles.*

légères : adjectif qualificatif ; fém. plur. ; épithète détachée de *hirondelles*.

ma : adjectif possessif ; fém. sing. ; 1re pers. ; déterminatif de *fenêtre*.

ces : adjectif démonstratif ; masc. plur. ; déterminatif de *oiseaux*.

heureux : adjectif qualificatif ; masc. plur. ; attribut du complément d'objet direct *oiseaux*.

toute : adjectif indéfini ; fém. sing. ; déterminatif de *vie*.

EXERCICES

*96. Analysez les adjectifs qualificatifs (ils sont en italique).

1. *Petite* pluie abat *grand* vent. — 2. Les trois *jeunes* hommes de la fable disaient au vieillard : « Quittez le *long* espoir et les *vastes* pensées ». — 3. L'horizon est *brumeux*, le ciel paraît *gris :* voici la saison *mélancolique*. — 4. Est-ce une *grande* fortune qui rendra l'homme *heureux ?* — 5. Les premiers flocons descendent, *légers*, dans l'air *glacé*.

*97. Analysez les adjectifs qualificatifs.

1. Les hauts peupliers frissonnent dans le brouillard froid.— 2. D'humbles lumières brillent là-bas dans le petit village qui s'enveloppe d'une brume légère. — 3. Ma maison natale paraît heureuse, quand je la revois, toujours fraîche, après une longue absence. — 4. Grand-mère a pour moi des bontés exquises : elle est indulgente à souhait ; même quand elle me dit des paroles sévères, je la sens prête à me pardonner tout de suite. Elle a les cheveux gris, mais son visage reste jeune encore.

*98. Analysez les adjectifs en italique.

a) 1. J'aime *ma* ville et *ses* vieux quartiers. — 2. Tenez *chaque* chose à *sa* place : *cette* règle, qui paraît *mesquine*, est de *première* importance. — 3. *Vingt* fois sur le métier remettez *votre* ouvrage. (Boileau.) — 4. *Tout* homme est *redevable* à *ses* ancêtres de *ces* avantages *nombreux* dont il jouit à *chaque* moment de la vie *quotidienne*.

b) 1. *Aucun* chemin de fleurs, a dit *notre grand* fabuliste, ne conduit à la gloire. — 2. *Quels* sont *vos* meilleurs protecteurs sinon vos talents acquis ? — 3. Je vous prête *dix mille* francs, *laquelle* somme me sera remboursée en *dix* annuités. — 4. *Plus d'un* paresseux se repentira de n'avoir pas bien employé *son* temps.

***99. Discernez les divers adjectifs (qualificatifs et autres) et analy-
sez-les.**

Avantages de l'ordre.

Aimez l'ordre, mes chers enfants : il a des avantages précieux.
Si vous avez mis chaque chose à sa place, vous ne perdrez aucun
moment à la chercher quand vous en aurez besoin : nul trouble
alors ne retardera votre départ. Et quel avantage aussi quand on
évite ainsi toute dispute et tout embarras ! En outre, chaque objet
étant mis à cette place que vous avez jugée convenable, il s'y con-
servera plus sûrement qu'en un autre lieu et il y restera net et
agréable à voir.

*100. Même exercice.

1. Ne lisez que les bons ouvrages, qui rendent l'esprit ferme et
le cœur noble : cette règle est excellente. — 2. Le vingtième siècle
a été fécond en inventions utiles. — 3. Dès que la mauvaise saison
approche, les hirondelles se préparent à quitter nos contrées. —
4. La lune montait, pâle, à l'horizon ; sa lumière, indécise, jetait
quelques reflets sur les tuiles humides de notre demeure. — 5. Chaque saison a ses agréments. — 6. Quelles leçons tirez-vous de
l'étude de notre histoire nationale ? — 7. Les difficultés mêmes
auront certains attraits si votre âme est énergique.

RÉCAPITULATION

*101. Analysez les mots en italique.

Prière.

Dieu des enfants ! le cœur d'*une petite fille*
Plein de *prière*, écoute, est ici sous *mes* mains ;
Hélas ! on m'a parlé d'*orphelins* sans *famille !*
Dans l'*avenir, bon Dieu*, ne fais plus d'orphelins !

Laisse descendre, *au soir, un ange* qui pardonne,
Pour répondre à *des voix* que l'on entend gémir.
Mets sous *l'enfant* perdu que *sa mère* abandonne
Un petit oreiller qui le fera dormir !

Marceline DESBORDES-VALMORE.

Analyse du Pronom.

PRINCIPES

53. Pour analyser le **pronom**, on en indique :

1º La nature et l'espèce :

pronom personnel ;	pronom relatif (indiquer l'antécédent) ;
— possessif ;	
— démonstratif ;	— interrogatif ;
	— indéfini.

2º La personne, pour les pronoms personnels, possessifs, relatifs ou interrogatifs ;

3º Le genre et le nombre ;

4º La fonction (mêmes fonctions que le nom : § 45, 3º).

54. Se rappeler :

PRONOMS PERSONNELS :

1re pers. : **je, me, moi, nous** ;
2e pers. : **tu, te, toi, vous** ;
3e pers. : **il, le, elle, la, lui,
     ils, eux, elles, les, leur ;
     en, y.**
     Pron. réfléchis : **se, soi.**
     (et aussi : **me, te, nous,
     vous,** dans les verbes
     pronominaux)

PRONOMS DÉMONSTRATIFS :

**celui, celui-ci, celui-là ;
celle, celle-ci, celle-là ;
ce, ceci, cela ;
ceux, ceux-ci, ceux-là ;
celles, celles-ci, celles-là.**

PRONOMS POSSESSIFS :

1re p. : **le mien, la mienne, les miens,
     les miennes ;
     le nôtre, la nôtre, les nôtres ;**
2e p. : **le tien, la tienne, les tiens,
     les tiennes ;
     le vôtre, la vôtre, les vôtres.**
3e p. : **le sien, la sienne, les siens,
     les siennes ;
     le leur, la leur, les leurs.**

PRONOMS RELATIFS :

**qui, que, quoi, dont, où ;
lequel, laquelle, lesquels, lesquelles ;
duquel, de laquelle, desquels, desquelles ;
auquel, à laquelle, auxquels, auxquelles.**

Relat. indéfinis : **quiconque, qui que, quoi
     que, qui que ce soit qui, qui que
     ce soit que, quoi que ce soit qui,
     quoi que ce soit que.**

PRONOMS INTERROGATIFS :

**qui ? que ? quoi ?
lequel ? laquelle ? lesquels ? lesquelles ?
duquel ? de laquelle ? desquels ? desquelles ?
auquel ? à laquelle ? auxquels ? auxquelles ?**

PRONOMS INDÉFINIS :

autre-chose	je ne sais qui	aucun	nul
grand-chose	je ne sais quoi	d'aucuns	pas un
peu de chose	quelqu'un	certains	plus d'un
quelque chose	on[1]	l'un	plusieurs
autrui	personne	l'autre	tel (un tel)
chacun	rien	l'un et l'autre	tout

55. Modèles d'analyse :

1. **Nous** *admirons* **ceux** qui *consacrent leur vie au bonheur* d'**autrui**.

2. **Qui** *veut peut*.

3. *Votre peine est* **la nôtre**, *croyez*-**le** *bien*.

4. **Quoi que** *vous fassiez, faites-le avec soin*.

5. *Goûtez*-**moi** *ce vin-là !*

6. *Je ne* **me** *décourage pas*.

1. **nous** : pronom personnel ; 1re pers. ; masc. plur. ; sujet de *admirons*.

   ceux : pronom démonstratif ; masc. plur. ; objet direct de *admirons*.

   qui : pronom relatif ; antécédent : *ceux ;* 3e pers. ; masc. plur. ; sujet de *consacrent*.

   autrui : pronom indéfini ; masc. sing. ; complément déterminatif de *bonheur*.

2. **qui** : pronom relatif indéfini (sans antécédent) ; 3e pers. ; masc. sing. ; sujet de *veut*.

3. **la nôtre** : pronom possessif ; 1re pers. ; fém. sing. ; attribut du sujet *peine*.

   le : pronom personnel ; 3e pers. ; neutre sing. ; objet direct de *croyez*.

4. **quoi que** : pronom relatif indéfini [2] ; neutre sing. ; objet direct de *fassiez*.

5. **moi** : pronom personnel, 1re pers. ; masc. sing. ; mot explétif.

---

1. Dans *l'on*, pour analyser *l'*, on dira : consonne euphonique.

2. Ce pronom relatif indéfini unit une subordonnée à une principale : il est donc en même temps une locution *conjonctive*. Strictement parlant, dans *quoi que*, c'est *quoi* qui est le complément d'objet direct de *fassiez*.

6. **me** : pronom personnel réfléchi ; 1re pers. ; masc. sing. ; sans fonction.

EXERCICES

*102. Analysez les pronoms.

1. *Je* sais que *vous* êtes disposés à *vous* conformer aux exigences de la discipline. — 2. *Tu* aimes tes parents : *ils te* veulent tout le bien possible. — 3. *Chacun* récoltera *ce qu'il* aura semé. — 4. A *quoi* consacrerez-*vous* votre avenir ? — 5. Si *quelqu'un vous* dit qu'*on* peut faire son chemin sans travailler, *vous le* chasserez comme un imposteur. — 6. L'esprit *qu'on* veut avoir gâte *celui qu'on* a. — 7. *Il* était facile de distraire l'enfant *que j'*étais alors. — 8. Le corbeau *s'*aperçut trop tard de son erreur.

*103. Discernez les pronoms et analysez-les.

1. On aime mieux dire du mal de soi que de n'en point parler. — 2. La vraie politesse est celle qui vient de la justice et de la charité : que chacun de vous examine si cette politesse est la sienne. — 3. Ceux qui vivent sont ceux qui luttent ; ce sont ceux dont un dessein ferme emplit l'âme. — 4. Que ferais-tu si la patrie t'appelait pour la défendre ? — 5. Il est bon de voyager : cela peut étendre les idées. — 6. Je me rappelle l'hiver qu'il a fait si froid. — 7. Qui que tu sois, ne dédaigne personne. — 8. Otez-moi donc ces toiles d'araignée !

*104. Même exercice.

1. Nul n'est prophète chez soi. — 2. J'aime ma profession ; aimerez-vous la vôtre ? — 3. Tout dort sur la plaine ; le village, dont on voit là-bas la silhouette, a je ne sais quoi de mélancolique. — 4. On ne saurait exprimer clairement ce que l'on ne conçoit pas nettement. — 5. Votre vie, vous la voulez féconde. — 6. Il y a une voie d'où vous ne sortirez pas : celle de l'honneur. — 7. Je viens à vous, Seigneur, père auquel il faut croire. (Hugo.) — 8. Que deviendras-tu si tu continues d'être le paresseux que tu es ? — 9. A qui que ce soit que tu parles, sois poli. — 10. Je vous lui ai donné une jolie correction !

*105. Discernez les noms et les pronoms et analysez-les.

La Procession dansante d'Echternach.

a) Il y a, chaque année, le mardi de la Pentecôte, à Echternach, petite ville du grand-duché de Luxembourg, une curieuse procession par laquelle on honore saint Willibrord, l'évangélisateur de la contrée.

b) Au départ, en territoire allemand, le cortège est encore peu nombreux, mais il grossit tant et si bien que, parvenue sur le territoire du Luxembourg, la procession est suivie par une foule énorme.

c) Les fanfares éclatent, les tambours battent. Subitement cette foule commence à danser, faisant trois pas en avant, deux en arrière, sans arrêt, tandis que monte le chant des litanies, rythmé par les musiciens.

d) On arrive à l'église, dont l'escalier a soixante-quatre marches, que l'on gravit à genoux. On pénètre enfin dans le sanctuaire, où l'on vénère les reliques de saint Willibrord.

RÉCAPITULATION

*106. Analysez les mots en italique :

Chanson.

> Les *marins* ont dit *aux oiseaux* de mer :
> *Nous* allons bientôt partir en *Islande,*
> Quand *le* vent *du* nord sera moins *amer,*
> Et quand le *printemps* fleurira *la lande.*
>
> Et *les bons* oiseaux *leur* ont répondu :
> Voici les *muguets* et les violettes,
> Les vents sont plus doux ; la brume a fondu,
> Partez, ô *marins,* sur *vos goélettes.*
>
> Vos femmes ici prieront à genoux ;
> *Elles vous* seront constamment *fidèles*
> Nous voudrions bien partir avec *vous,*
> S'*il* ne valait mieux rester auprès d'*elles.*

Ch. Le Goffic.

Analyse du Verbe.

PRINCIPES

56. Pour analyser le **verbe,** on en indique :

1º La nature et l'espèce :

   verbe copule ;
   — transitif (direct ou indirect) ;
   — intransitif ;
   — pronominal ;
   — impersonnel.

2º Les particularités de formes :

   voix (active ou passive) (seulement pour les transitifs directs) ;
   mode ;
   temps ;
   personne et nombre.

3º La fonction :

   base de la phrase (ou de la proposition).

[Le terme *base* ne sera appliqué à l'infinitif que lorsque celui-ci a un sujet propre : voir § 94, 4º et Rem. 1.]

N. B. — Un infinitif peut être :

sujet	complément circonstanciel
attribut	complément déterminatif
apposition	complément de l'adjectif
objet (dir. ou indir.)	complément du présentatif.

Remarques. — 1. Il existe un grand nombre de locutions verbales qui équivalent à des verbes simples ; les éléments de ces locutions ne doivent pas être analysés séparément : *avoir besoin, avoir peur, avoir raison, avoir envie, avoir faim, ajouter foi, donner lieu, faire défaut, prendre garde, savoir gré, tenir tête, se faire fort de, faire savoir, rendre grâce, rendre justice, perdre pied,* etc.

2. Dans *pense-t-il, aima-t-il,* etc., pour analyser *t,* on dira : consonne euphonique.

3. Pour les différentes valeurs du verbe *être,* voir § 78, 1º.

57. Modèles d'analyse :

1. *La* ciel **est** *bleu. Tout* **chante** *la joie. Tout* **rit,** *parce que le printemps* **succède** *à l'hiver.*
2. *Bientôt le bétail* **sera conduit** *au pâturage par le fermier.*
3. *Il* **faut se réjouir.**
4. **Chanter** *n'est pas* **crier.**
5. *Je* **vois venir** *mon père.*
6. *Le plaisir de* **donner** *est doux.*

1. **est :** verbe copule *être ;* indicatif présent ; 3e pers. sing. ; unit l'attribut *bleu* au sujet *ciel ;* base de la phrase.

   chante : verbe *chanter ;* transitif direct ; voix active ; indicatif présent ; 3e pers. sing. ; base de la phrase.

   rit : verbe *rire ;* intransitif ; indicatif présent ; 3e pers. sing. ; base de la phrase.

   succède : verbe *succéder ;* transitif indirect ; indicatif présent ; 3e pers. sing. ; base de la proposition.

2. **sera conduit :** verbe *conduire ;* transitif direct ; voix passive ; indicatif futur simple ; 3e pers. sing. ; base de la phrase.

3. **faut :** verbe *falloir ;* impersonnel ; indicatif présent ; 3e pers. sing. ; base de la phrase.

   se réjouir : verbe *se réjouir ;* infinitif présent ; sujet réel de *faut.*

4. **chanter :** verbe *chanter ;* intransitif ; infinitif présent ; sujet de *est.*

   crier : verbe *crier ;* intransitif ; infinitif présent ; attribut du sujet *chanter.*

5. **vois :** verbe *voir ;* transitif direct ; voix active ; indicatif présent ; 1re pers. sing. ; base de la phrase.

   venir : verbe *venir ;* intransitif ; infinitif présent ; base de la proposition infinitive.

6. **donner :** verbe *donner ;* intransitif ; infinitif présent ; complément déterminatif de *plaisir.*

EXERCICES

*107. Indiquez pour chaque forme verbale : la **voix,** le **mode,** le **temps,** la **personne** et le **nombre.**

a) Tu travailles, nous passâmes, ils venaient, avançons, ils sont blâmés, il a oublié, prendre, j'aurai écrit, que vous ayez, disant, tu serais appelé, vous auriez compris, que j'eusse crié, ils avaient retenu, ils furent récompensés, que je gagnasse, vous arriverez, il s'était promené.

b) On disait qu'il viendrait ; nous eussions perdu ; en commençant ; dès qu'il eut parlé, on applaudit ; j'affirme que j'ai été trompé ; avant qu'il eût parlé, on l'avait déjà applaudi ; qu'il tînt ; aie terminé avant que nous arrivions ; quand il se fut assis, on l'entoura ; je pensais qu'il aurait terminé avant le soir ; quand même il l'aurait juré, on ne l'eût pas cru.

*108. Analysez les verbes.

1. La vertu est aimable. — 2. Tout homme est mortel. — 3. Le clairon sonne la charge. — 4. Le héron dédaigna la carpe, le brochet, les tanches et le goujon ; il fut heureux, à la fin, de rencontrer un limaçon. — 5. On hasarde de perdre en voulant trop gagner. — 6. Le singe de la fable n'avait oublié qu'une chose : éclairer sa lanterne. — 7. Les paresseux seront blâmés par le maître. — 8. Qu'importe que tu sois puissant si tu n'es pas vertueux ? — 9. Chacun récoltera ce qu'il aura semé.

*109. Même exercice.

1. L'hiver vient : il gèle ; le ciel paraît bas ; tout s'enveloppe de brume. — 2. Ouvrez votre cœur aux malheureux. — 3. En forgeant on devient forgeron. — 4. Caïn, après avoir marché trente jours et trente nuits, arriva au bas d'une montagne : « Arrêtons-nous, dit-il, car cet asile est sûr. » — 5. Il convient de résister au vice avant qu'il prenne racine dans notre âme. — 6. Que l'on fasse tous ses efforts pour obtenir un beau succès !

*110. Même exercice.

1. Dès que nous eûmes déjeuné, nous partîmes, de crainte que le soir ne nous surprît dans cette région déserte. — 2. Mes parents m'avaient annoncé que nous ferions un grand voyage. — 3. Il avait tellement grandi qu'aucun de ses amis d'autrefois ne l'eût reconnu. — 4. Il faudrait que chacun s'appliquât à devenir meilleur. — 5. Avoir occupé un haut emploi et être contraint de tendre la main : triste situation ! — 6. Quand nous aurons acquis la maîtrise de nous-mêmes, nous ordonnerons mieux nos efforts.

*111. Même exercice.

1. On nous avait prédit que nous éprouverions de grandes difficultés si nous ne travaillions pas avec méthode. — 2. On aurait usé de complaisance envers vous si vous vous étiez montrés complaisants vous-mêmes. — 3. Jeanne d'Arc avait déclaré qu'elle prendrait Orléans. — 4. Qu'eussiez-vous fait si, dans ces circonstances pénibles, vous eussiez manqué de tout appui ? — 5. Il s'est trouvé, au siècle dernier, des gens, comme Thiers, qui prétendaient que les chemins de fer auraient cessé, avant la fin du siècle, d'avoir de l'importance.

*112. Discernez les verbes et analysez-les.

Paysage rustique.

Tout là-bas dans les champs, voyez-vous ce noyer majestueux ? Il marque l'entrée d'un petit chemin que je pris un jour sans trop savoir s'il me conduirait où je voulais aller ; mais ce chemin est si joli ! On marche pendant une heure à peu près, on traverse la gorge que forment en se rapprochant ces deux collines. D'ici le paysage n'a l'air de rien, mais je vous assure qu'entre les deux collines court joyeusement une certaine eau claire dont il n'est pas facile d'oublier l'allure et la chanson... ; et des arbustes, et des rochers, et des violettes !...

L. Veuillot.

RÉCAPITULATION

*113. Analysez les mots en italique.

La Vie ambulante.

La vie ambulante *est celle qu'il* me *faut.* Faire route à pied par un *beau temps,* dans *un* beau pays, sans être pressé, et avoir pour *terme* de *ma course* un objet agréable : voilà, de toutes les manières de *vivre,* celle *qui* est le plus de mon goût. Au reste, *on* sait déjà *ce que j'entends* par un beau pays. Jamais *pays* de plaine, *quel qu'il fût,* ne parut *tel* à mes yeux. Il *me* faut *des torrents,* des rochers, des sapins, des bois noirs, des montagnes, des chemins raboteux à monter et à descendre, des précipices à *mes* côtés *qui* me fassent bien peur.

J.-J. Rousseau.

*114. Même exercice.

La Rivière.

Lasse du *bois sévère* et de l'ombre tranquille,
La petite *rivière, inconstante* et futile,
Un double ourlet d'iris à *sa* robe, *a gagné*
La plaine *où* le ciel vaste en *elle s'est baigné.*
La voilà maintenant *libre,* heureuse et parée
Du *reflet* des *bijoux,* de l'*aurore* admirée.
Entre *les* colzas d'or, les foins et le méteil
Son onde pailletée étincelle au *soleil,*
Prend *mille tons* changeants de moire *qu'*on déroule
Et semble un long *ruban* de *lumière qui* coule.

Ad. HARDY.

Analyse de l'Adverbe.

PRINCIPES

58. Pour analyser l'**adverbe,** on en indique :

1º La nature et l'espèce : adverbe (ou locution adverbiale) de manière — de quantité (ou d'intensité) — de temps — de lieu — d'affirmation — de négation — de doute.

2º La fonction : complément d'un verbe — ou d'un adjectif — ou d'un autre adverbe.

59. Se rappeler :

ADVERBES DE MANIÈRE :

ainsi	comment	exprès	incognito	pis	recta
bien	debout	franco	mal	plutôt	vite
comme	ensemble	gratis	mieux	quasi	volontiers

A cette liste il faut ajouter un très grand nombre d'adverbes en *-ment,* quantité de locutions adverbiales : *à l'envi, à dessein, à tort, à loisir, à propos, cahin-caha,* etc., et certains adjectifs pris adverbialement avec des verbes : parler *haut,* voler *bas,* voir *clair,* coûter *cher,* etc.

ADVERBES DE QUANTITÉ ET D'INTENSITÉ :

assez	comment (= à	moins	plus	tout à fait
aussi	quel point	moitié *mort*	presque	tellement
autant	davantage	par *trop*	que *vous êtes fort !*	très
beaucoup	environ *un an*	(ne) pas autrement	quelque *dix ans*	trop
bien aise	fort	(= guère)	si	
combien	guère	pas mal	tant	
comme... !	*n'en pouvoir* mais	peu	tout *fier*	

Il faut ajouter certains adverbes en -*ment* exprimant la quantité, l'intensité : *abondamment, énormément, grandement, extrêmement,* etc.

ADVERBES DE TEMPS :

alors	avant-hier	dorénavant	longtemps	sitôt
après	bientôt	encore	lors	soudain
après-demain	d'abord	enfin	maintenant	souvent
aujourd'hui	déjà	ensuite	naguère	subito
auparavant	demain	hier	parfois	tantôt
aussitôt	depuis	incontinent	puis	tard
autrefois	derechef	jadis	quand ?	tôt
avant	désormais	jamais	quelquefois	toujours

Il faut ajouter des locutions adverbiales telles que : *tout de suite, de suite, tout à coup, à l'instant, à jamais, à présent, de temps en temps, jusque-là, tout à l'heure,* etc.

ADVERBES DE LIEU :

ailleurs	autour	ci	derrière	ici	outre
alentour	avant	contre	dessous	là	partout
arrière	çà	dedans	dessus	loin	près
attenant	céans	dehors	devant	où	proche

Il faut ajouter des locutions adverbiales comme : *au-dedans, au-dehors, ci-après, ci-contre, en arrière, en avant, quelque part, là-bas,* etc.

ADVERBES D'AFFIRMATION :

assurément	bien	oui	sans doute	soit
aussi	certes	précisément	si	volontiers
certainement	en vérité	que si	si fait	vraiment, etc.

ADVERBES DE NÉGATION :

non, ne, ne... pas, ne... point, ne... que.

ADVERBES DE DOUTE :

apparemment, peut-être, probablement, sans doute, vraisemblablement.

60. Modèles d'analyse :

1. *Qui va* doucement *va* très longtemps.
2. *Je* n'ai pas *trouvé* ici *le repos.*

1. **doucement** : adverbe de manière ; complément de *va*.
   très : adverbe d'intensité ; complément de *longtemps*.
   longtemps : adverbe de temps ; complément de *va*.
2. **ne pas** : adverbe de négation ; complément de *ai trouvé*.
   ici : adverbe de lieu ; complément de *ai trouvé*.

EXERCICES

*115. Analysez les adverbes.

1. La Sambre coule lentement. — 2. Celui qui travaille assidûment parviendra sûrement au succès. — 3. Autrefois on voyageait en diligence. — 4. La peur d'un mal nous fait souvent tomber dans un pire. — 5. Nous croyons volontiers ce que nous désirons. — 6. Quand vous avez fait une erreur, cherchez-en aussitôt les causes : ce précepte est très utile à suivre.

*116. Même exercice.

1. La nuit étant fort sombre, je voyais mal mon chemin. — 2. Ne remettez pas ce travail à demain, faites-le aujourd'hui. — 3. Rares sont ceux qui voient clair en eux-mêmes. — 4. Une tâche faite trop rapidement ne saurait être bien faite ; travaillez à loisir. — 5. Tant va la cruche à l'eau qu'enfin elle se brise. — 6. Que nous nous pardonnons aisément nos fautes ! — 7. Bientôt vous entrerez dans la vie ; vous vous repentirez peut-être de n'avoir pas mieux employé le temps de vos études.

*117. Discernez les divers adverbes et analysez-les.

Le Bon Emploi du temps.

A l'école, si vous employez utilement le temps, vous pourrez acquérir certes les qualités essentielles qui feront de vous plus tard des hommes de valeur et de bons citoyens. Vous apprendrez d'abord à bien vivre avec vos camarades, à vous supporter mutuellement : ainsi vous ferez ensemble un fort bon apprentissage de la vie sociale. Vous ferez provision ensuite de connaissances qui serviront à faire de vous des hommes utiles partout où s'exercera votre activité. Combien le pays sera heureux alors de vous avoir ! Perdre votre temps à l'école serait peut-être compromettre votre avenir personnel et sans doute aussi la solidité et la prospérité de la patrie.

D'après Ch. WAGNER.

RÉCAPITULATION

*118. Analysez les mots en italique

Le Réveil de la forêt.

La forêt s'éveillait. Au pied *des* grands *arbres, dont* les *têtes* se couvraient d'une *ombre légère* de feuillage, les taillis étaient *plus touffus. Les bouleaux hâtifs,* aux membres d'*argent,* semblaient seuls *habillés déjà* pour l'*été,* tandis que *des* chênes immenses montraient seulement, au bout de leurs branchages, de légères *taches* vertes tremblotantes. Les hêtres, *ouvrant* plus *vite* leurs *bourgeons* pointus, laissaient tomber *leurs* dernières feuilles mortes de l'*autre année.*

MAUPASSANT.

Analyse de la Préposition et des Présentatifs.

PRINCIPES

61. Pour analyser la **préposition,** on en indique :

1º La nature (préposition ou locution prépositive) ;

2º La fonction : à quoi elle unit le complément qu'elle introduit.

Remarques. — 1. Certaines prépositions, appelées **prépositions vides,** sont de simples chevilles syntaxiques, ne marquant aucun rapport entre les mots qu'elles unissent l'un à l'autre : *J'aime* **à** *lire.—Il craint* **de** *se tromper.* — *Il oublie* **de** *venir.* — *Il est tenu* **pour** *coupable.* — *La ville* **de** *Liège.*

2. Pour analyser les **présentatifs** *voici, voilà,* on en indique la nature et l'on ajoute : ayant la valeur de *vois ici, vois là.*

62. Se rappeler :

PRINCIPALES PRÉPOSITIONS :

à	de	excepté	passé	sous
après	depuis	hormis	pendant	suivant
attendu	derrière	hors	plein	supposé
avant	dès	jusque	pour	sur
avec	devant	malgré	près	touchant
chez	durant	moyennant	proche	vers
concernant	en	outre	sans	vu
contre	entre	par	sauf	
dans	envers	parmi	selon	

PRINCIPALES LOCUTIONS PRÉPOSITIVES :

à cause de	au dehors de	de dessous	hors de
à côté de	au-delà de	de dessus	jusqu'à, jusque
à défaut de	au-dessous de	de devant	dans, etc.
afin de	au-dessus de	de façon à	loin de
à fleur de	au-devant de	de manière à	par-dedans
à force de	au lieu de	d'entre	par-dehors
à l'abri de	au milieu de	de par	par-delà
à la faveur de	au péril de	de peur de	par-dessous
à la merci de	auprès de	du côté de	par-dessus
à la mode de	au prix de	en deçà de	par-devant
à l'égard de	autour de	en dedans de	par-devers
à l'encontre de	au travers de	en dehors de	par rapport à
à l'envi de	aux dépens de	en dépit de	près de
à l'exception de	aux environs de	en face de	proche de
à l'exclusion de	avant de	en faveur de	quant à
à l'insu de	d'après	en raison de	sauf à
à moins de	d'avec	en sus de	sus à
à raison de	de chez	étant donné	vis-à-vis de
au-dedans de	de delà	faute de	
au défaut de	de derrière	grâce à	

63. Modèles d'analyse :

1. *Les voix* **de** *la forêt parlent* **à** *mon âme.*
2. **Voici** *la ville* **de** *Liège.*
3. *Je considère cet homme* **comme** *innocent.*

1. **de** : préposition ; unit le complément déterminatif *forêt* au nom *voix*.

    à : préposition ; unit le complém. d'objet indirect *âme* au verbe *parlent*.

2. **voici** : présentatif (ayant la valeur de *vois ici*).

    de : préposition vide ; unit l'apposition *Liège* au nom *ville*.

3. **comme** : préposition vide ; unit l'attribut *innocent* au complément d'objet direct *homme*.

EXERCICES

*119. Analysez les prépositions (elles sont en italique).

1. L'amour *de* la patrie est noble. — 2. Je conserve *dans* le fond *de* mon cœur la mémoire *de* tous les bienfaits que je dois *à* mes parents. — 3. Soyons indulgents *pour* les autres et sévères *à* nous-

mêmes. — 4. *Par* ce signe tu vaincras. — 5. Il faut faire *contre* mauvaise fortune bon cœur. — 6. La Hesbaye est riche *en* blé. — 7. Jeannot Lapin trottinait *dès* le matin *parmi* les broussailles. — 8. Quel enfant n'aime pas *à* jouer ?

*120. Discernez les prépositions et analysez-les.

1. Examinez votre conscience afin de mieux vous connaître. — 2. Vous avez pu, grâce à votre persévérance, obtenir un succès qui vous distingue entre vos condisciples. — 3. Conduisez-vous de manière à ne pas vous écarter de la voie droite. — 4. Votre avenir est entre vos mains ; le moyen de réussir est le même pour tous : c'est le travail. — 5. Savez-vous au prix de quels sacrifices votre mère vous a élevé ? — 6. A force de volonté vous conquerrez la maîtrise de vous-même. — 7. Nous promettons de nous corriger. — 8. Ne refusons pas de secourir les malheureux. — 9. Le mois de mai est un beau mois.

*121. Discernez dans chacun des articles contractés la préposition qui y est incluse et analysez-la.

1. Ayez l'amour du travail. — 2. Le vainqueur des Gaules a reconnu la bravoure des Belges. — 3. Aux hommes droits nous donnons notre estime. — 4. J'entends la voix du vent dans l'épaisseur des branches.

*122. Analysez les prépositions et les locutions prépositives.

La Patience.

Il faut savoir user de patience, mes chers enfants, et supporter sans murmurer les petits ennuis de la vie quotidienne. Si nous nous répandons en récriminations depuis le matin jusqu'au soir, nous condamnons les autres à subir le contrecoup de nos vivacités et une atmosphère de mauvaise humeur pèse sur toute la famille. Faites des efforts afin de maîtriser votre impatience ; devenez patients à l'égard des choses et surtout à l'égard des gens ; jugez leurs actes avec bonté et au lieu de vous emporter, aimez à pardonner.

RÉCAPITULATION

*123. Analysez tous les mots de la phrase suivante :

Celui qui ne sait pas faire quelques efforts pour se corriger de ses défauts sera blâmé par tous les gens de cœur.

Analyse de la Conjonction et de l'Interjection.

PRINCIPES

64. Pour analyser la **conjonction,** on en indique :

1º La nature et l'espèce : conjonction (ou locution conjonctive) de coordination ou de subordination.

2º La fonction : quels mots ou quelles propositions elle unit.

65. Se rappeler :

1º Que la conjonction de **coordination** unit :

soit deux éléments de *même fonction* dans une proposition ;

soit deux propositions de *même nature*.

2º Que la conjonction de **subordination** unit une proposition subordonnée à une proposition principale.

PRINCIPALES CONJONCTIONS
ET LOCUTIONS CONJONCTIVES DE COORDINATION :

ainsi *vous consentez*	c'est pourquoi	ensuite	par conséquent
alors *vous consentez*	d'ailleurs	et	par contre
au contraire	de plus	et puis	par suite
au moins	donc	mais	partant
au reste	du moins	néanmoins	pourtant
aussi *j'y tiens*	du reste	ni	puis
bien plus	effectivement	or	soit... soit
car	en effet	ou	tantôt... tantôt
cependant	en revanche	ou bien	toutefois

PRINCIPALES CONJONCTIONS
ET LOCUTIONS CONJONCTIVES DE SUBORDINATION :

à cause que	au cas où	comme	de sorte que
à ce que	au cas que	comme si	dès que
à condition que	au fur et à	d'autant que	en attendant que
afin que	à mesure que	d'autant plus que	en cas que
ainsi que	au lieu que	de ce que	encore que
alors que	aussi bien que	de crainte que	en sorte que
à mesure que	aussitôt que	de façon que	étant donné que
à moins que	autant que	de manière que	excepté que
après que	avant que	de même que	jusqu'à ce que
à proportion que	bien que	de peur que	loin que
attendu que	cependant que	depuis que	lors même que

lorsque	parce que	que	si peu que
maintenant que	pendant que	quoique	si tant est que
malgré que	plutôt que	sans que	soit que
moins que	pour que	sauf que	sitôt que
non moins que	pourvu que	selon que	suivant que
non plus que	puisque	si	tandis que
outre que	quand	si ce n'est que	vu que

66. Modèles d'analyse :

1. *Ne* fréquentez *pas les* fourbes **et** *les hypocrites,* **car** *ils vous corrompraient.*

2. *Je sais* **que** *tout passe,* **mais** *que nos mérites nous restent.*

3. *Opposez-vous au mal* **avant** qu'*il s'enracine.*

    1. **et :** conjonction de coordination ; unit les compléments d'objet directs *fourbes* et *hypocrites.*

    car : conjonction de coordination ; unit les propositions indépendantes *ne fréquentez pas les fourbes et les hypocrites* et *ils vous corrompraient.*

    2. **que :** conjonction de subordination ; unit la proposition subordonnée *tout passe* à la base de la phrase *sais.*

    mais : conjonction de coordination ; unit les propositions subordonnées *tout passe* et *nos mérites nous restent.*

    3. **avant que :** locution conjonctive de subordination ; unit la prop. subord. *il s'enracine* à la base de la phrase *opposez.*

67. Pour analyser l'**interjection** (ou la locution interjective), on en indique simplement la nature.

EXERCICES

*124. **Analysez les conjonctions de coordination** (dans le premier paragraphe, elles sont en italique).

a) 1. L'homme a un corps *et* une âme. — 2. Les Franchimontois avaient résolu de vaincre *ou* de mourir. — 3. Ce chef est sévère, *mais* juste. — 4. Les oiseaux s'éveillent dans les fourrés *et* les taillis : on entend un pépiement, *puis* une roulade. — 5. Les flatteries *ni* les menaces ne me feront changer ma résolution.

b) 1. Je pense, *donc* je suis. — 2. Travaillez et instruisez-vous, car on ne va pas loin sans instruction. — 3. Le temps est précieux, par conséquent, ne le gaspillez pas. — 4. Nous voyons le bien et nous l'aimons ; le mal cependant nous séduit. — 5. Les flatteurs sont agréables ; pourtant ils sont dangereux ; ainsi fuyez-les ; néanmoins n'usez pas de brutalité envers eux.

*125. Analysez les conjonctions de subordination (dans le premier paragraphe, elles sont en italique).

a) 1. Soyez attentifs *quand* le maître parle. — 2. Tout s'égaie *lorsque* revient le printemps. — 3. Les moralistes nous disent *que* l'on ne fait rien de grand *si* l'on n'a pas d'énergie. — 4. *Comme* un orage menaçait, nous avons décidé *que* nous retarderions notre départ. — 5. Le devoir quotidien, *quoiqu'*il soit humble parfois, nous vaut du mérite *si* nous l'accomplissons exactement.

b) 1. Vous irez loin dans la vie, pourvu que vous ayez un noble idéal. — 2. N'achetez pas le superflu, de peur que vous ne soyez forcé de vendre le nécessaire. — 3. Puisque le devoir commande, je lui obéirai. — 4. Votre influence grandira à mesure que votre caractère s'affermira.

*126. Discernez les conjonctions et analysez-les.

1. Honore ton père et ta mère, afin que tu vives longtemps sur la terre. — 2. Selon que vous serez puissant ou misérable, certaines gens vous flatteront ou vous mépriseront. — 3. Les jeunes gens croient que la vie est très longue ; les vieillards trouvent, au contraire, qu'elle est brève. — 4. Quand vous avez bien rempli votre journée, vous sentez que votre conscience vous approuve et vous goûtez un bonheur intime.

*127. Analysez les diverses conjonctions.

La Bonne Humeur.

On dit, et c'est avec raison, que la bonne humeur rend tout facile et qu'elle est une des formes de l'amour du prochain. Quand elle s'épanouit, je m'égaie avec elle, mais je l'apprécie surtout lorsqu'elle sait sourire pendant que des compagnons se plaignent ou récriminent. Si vous aimez vos semblables, montrez-leur une bonne figure. Mettez à votre profession, bien qu'elle ait certes ses désagréments, une auréole d'entrain. Comportez-vous de façon que tous voient constamment rayonner autour de vous une humeur joviale et réconfortante.

D'après Ch. WAGNER.

RÉCAPITULATION

*128. Analysez tous les mots de la phrase suivante :

Hélas ! Si l'homme se tourne vers ses propres misères, il ne lui restera plus l'énergie nécessaire pour compatir aux douleurs d'autrui.

L'Ellipse. Le Pléonasme. La Syllepse.

PRINCIPES

68. L'**ellipse** est l'omission d'un ou de plusieurs mots qui seraient nécessaires pour la construction régulière de la proposition. Tantôt c'est le sujet qui est omis, tantôt c'est le verbe, tantôt c'est à la fois le sujet et le verbe :

Fais ce que dois [= Fais ce que *tu* dois].
Heureux les humbles ! [= Heureux *sont* les humbles !].
Cet homme était heureux parce que sage [= cet homme était heureux parce qu'*il était* sage].

N. B. — Les mots omis par ellipse ne s'analysent pas, mais il est parfois nécessaire de les rétablir pour se rendre compte de leur fonction et il est utile de les indiquer pour faire voir la fonction de certains éléments de la proposition.

Par exemple : *Heureux les humbles !*

> **humbles :** adjectif pris substantivement ; masc. plur. ; sujet de *sont* sous-entendu.

69. Le **pléonasme** est une surabondance d'expression ; il consiste généralement à redoubler un terme par un autre de même sens non exigé par l'énoncé strict de la pensée ; il peut servir à donner plus de force et de relief à tel ou tel élément de la proposition :

On cherche les rieurs, et **moi** *je les évite.* (La Font.)

N. B. — Les mots formant pléonasme s'analysent de la même manière que les autres mots ; on ajoute simplement « répété par pléonasme ».

Ainsi pour analyser le mot *moi* de la phrase citée plus haut, on dira :

> **moi :** pronom personnel ; 1ʳᵉ pers. ; masc. sing. ; sujet répété par pléonasme de *évite.*

70. La **syllepse** consiste à faire accorder un mot non avec le terme auquel il se rapporte selon les règles grammaticales, mais avec un autre, que le sens éveille dans la pensée :

> *Le mineur a une vie très dure ; quand je les vois à la sortie de la mine, je me fais une image plus juste de leur courage.*

N. B. — Dans l'analyse, généralement on ne fait pas mention de la syllepse, mais il est bon de la reconnaître et d'apercevoir la différence de genre ou de nombre entre le terme employé par syllepse et le terme qui serait demandé par l'accord grammatical ordinaire.

EXERCICES

*129. Suppléez et mettez entre crochets les mots omis par ellipse ; analysez les mots en italique.

1. *Homicide* point ne seras. — 2. On a toujours raison ; le *destin*, toujours tort. — 3. Après la pluie, le beau *temps*. — 4. A bonne *auberge* point d'enseigne. — 5. Quand partez-vous ? — *Demain*. — 6. La violette symbolise l'humilité ; le lis, la *pureté*. — 7. Il brandit un bâton comme un lancier sa *lance*. — 8. Jouons : tu serais le cheval, et moi, le *cavalier*. — 9. Du *cuir* d'autrui large *courroie*.

*130. Discernez les mots employés par pléonasme et analysez-les.

1. Je vous affirme, moi, que l'honneur nous défend de faire une infamie. — 2. On vous l'avait prédit, cet échec, mais vous, vous ne vouliez rien croire. — 3. Cette récompense, vous l'avez bien méritée. — 4. Du courage, il en fallait pour accomplir ce travail. — 5. Ton frère, lui, a pris beaucoup de peine : on l'a félicité ; mais à toi, quels compliments pourrait-on te faire ?

*131. Discernez les syllepses et, au lieu de l'accord sylleptique, faites l'accord selon les règles de la grammaire.

1. La noblesse de Rennes et de Vitré l'ont élu malgré lui. (Sévigné.) — 2. Entre le pauvre et vous, vous prendrez Dieu pour juge, Vous souvenant, mon fils, que, caché sous ce lin, Comme eux vous fûtes pauvre et comme eux orphelin. (Racine.) — 3. Tout le peuple accourut ; ils acclamaient le prince et demandaient qu'il parût au balcon.

Les Gallicismes

PRINCIPES

71. Un **gallicisme** est une construction propre et particulière à la langue française :

> *Il* **y a** *un Dieu.* — *C'est un trésor* **que** *la santé.*

N. B. — On se gardera de vouloir soumettre à une analyse stricte chacun des éléments de tout gallicisme : il arrive souvent, en effet, que ces éléments relèvent de la logique du langage, qui n'est pas la logique des logiciens. On usera donc de discernement et on analysera en bloc ce qui ne se prête pas à être analysé mot par mot.

On ne « sous-entendra » qu'avec beaucoup de réserve. Mettre dans la proposition des mots « sous-entendus » pour faire entrer de force dans les cadres habituels les constructions rebelles à l'analyse, c'est souvent faire violence au langage réel et en méconnaître les véritables lois.

72. Modèles d'analyse :

1. *Il y a un Dieu.*
2. *C'est un trésor que la santé.*
3. *C'est mon père qui vient.*
4. *C'est ma mère que j'attends.*
5. *Je l'ai échappé belle.*

1. **Il** : pronom personnel ; 3ᵉ pers. neutre sing. ; sujet apparent de *y a.*

   y a : verbe *y avoir*, impersonnel, équivalent à *être ;* indicatif présent ; base de la phrase.

   un : article indéfini ; masc. sing. ; déterminatif de *Dieu.*

   Dieu : nom propre ; masc. sing. ; sujet réel de *y a.*

2. **C'** : pronom démonstratif ; neutre sing. ; suj. apparent de *est* [1].

   est : verbe copule *être ;* indic. présent ; 3ᵉ pers. sing. ; base de la phrase.

   un : article indéfini ; masc. sing. ; déterminatif de *trésor.*

   trésor : nom comm. ; masc. sing. ; attrib. du sujet *santé.*

---

1. Opinion du *Code de Terminologie* du Ministère belge de l'Instruction publique, édit. revue, 1957.

que : forme avec *c'est* un gallicisme.

la : article défini ; fém. sing. ; déterminatif de *santé*.

santé : nom commun ; fém. sing. ; sujet réel de *est*.

3. **C'est... qui** : gallicisme.

mon : adjectif possessif ; masc. sing. ; 1re pers. ; déterminatif de *père*.

père : nom commun ; masc. sing. ; sujet de *vient ;* mis en relief par le gallicisme *c'est... qui*.

vient : verbe *venir*, intransitif ; indicatif présent ; 3e pers. sing. ; base de la phrase.

4. **C'est... que** : gallicisme.

ma : adjectif possessif ; fém. sing. ; 1re pers. ; déterminatif de *mère*.

j' : pronom personnel ; 1re pers. ; masc. (ou fém.) sing. ; sujet de *attends*.

attends : verbe *attendre ;* transitif direct ; voix active ; indicatif présent ; 1re pers. sing. ; base de la phrase.

5. **Je** : pronom personnel ; 1re pers. ; masc. (ou fém.) sing. ; sujet de *l'ai échappé belle*.

l'ai échappé belle : locution verbale *l'échapper belle ;* transitive dir., indic. passé comp. ; 1re pers. sing. ; base de la phrase.

EXERCICES

*132. Analysez les divers éléments des phrases suivantes (les mots en italique doivent être considérés en bloc) :

1. Vous m'*en voulez*, mais *qu'est-ce que* je vous ai fait ? — 2. Il *y a* de la grandeur dans ces paroles. — 3. Comment celui qui n'*y voit* pas suivrait-il le bon chemin ? — 4. C'est une belle fleur que la rose. — 5. C'est moi qui commande ici. — 6. C'est demain que nous partons.

*133. Même exercice.

1. Ils *en vinrent* aux coups. — 2. Quand il *y va* de l'honneur, comment hésiterions-nous ? — 3. Cet homme *en impose*. — 4. *C'est* de votre avenir *que* je veux parler. — 5. Il *eut beau dire*, on le condamna. — 6. Les enfants *s'en donnaient* à cœur joie.

Différentes valeurs de *que*.

PRINCIPES

73. Que peut être :

1° Pronom relatif :   *Les heures* **que** *nous perdons ne se retrouveront plus.*

2° Pronom interrogatif : **Que** *dit le vent dans la ramure ?*
Je ne sais **que** *répondre.*

3° Conjonction :   *L'expérience a toujours montré* **que** *l'oisiveté avilit.*

Il faut **que** *l'on travaille.*

Je vous informe **que** *votre requête a été admise.*

Que *ceci serve de leçon !* (Rem. 2.)

Que *cet enfant fasse le moindre excès, il est malade.*

Pierre est plus studieux **que** *son frère.*

Si cet homme tombe malade et **qu'**il meure, *sa famille sera dans la misère.*

Puisque vous avouez votre faute et **que** *vous la regrettez, je vous pardonne.*

Ote-toi de là, **que** *je m'y mette, dit l'égoïste.*

4° Adverbe :

  a) de quantité :   **Que** *de gens* [1] *ne se connaissent pas eux-mêmes !*

  ou d'intensité :   **Que** *vous êtes joli !* **que** *vous me semblez beau ! dit le renard au corbeau.*

  b) interrogatif ou exclamatif :   **Que** [= pourquoi ?] *ne le disiez-vous plus tôt ?* **Que** *ne puis-je vous suivre !*

Que [= à quoi, en quoi] *vous sert d'être puissant si vous n'avez pas la sagesse ?*

---

1. *Que* ainsi construit avec *de* et un nom peut être considéré soit comme un adverbe de quantité ou d'intensité suivi de son complément, — soit comme une locution adverbiale de quantité ayant la valeur d'un adjectif indéfini ; comparez : **Que de** *gens ne se connaissent pas eux-mêmes !* **Maintes** *gens ne se connaissent pas eux-mêmes.*

Remarques. — 1. *Que*, pronom relatif ou conjonction, entre dans certains gallicismes :

> *C'est un trésor* **que** *la santé* [*que* forme avec *c'est* un gallicisme].
>
> *C'est là* **que** *je voudrais vivre* [*que* forme avec *c'est* un gallicisme].
>
> *Ce n'est pas vous, c'est votre frère* **que** *j'appelle* [*que* forme avec *c'est* un gallicisme].
>
> *C'est une erreur* **que** *de croire cela* [*que* forme avec *c'est* un gallicisme ; *de* est une préposition vide].
>
> *Cela ne laisse pas* **que** *d'être inquiétant* [*que* forme avec *ne laisse pas de* un gallicisme].

2. Une proposition comme *Que ceci serve de leçon !* est une indépendante, et *que* est là une particule conjonctionnelle, signe du subjonctif. L'analyse sera ainsi :

> **que :** conjonction, signe du subjonctif ; introduit la proposition indépendante *ceci serve de leçon !*

3. *Que* ne doit pas être analysé séparément quand il fait partie d'une locution conjonctive : *afin que, pour que, avant que, sans que, de crainte que, de manière que, quelque… que, quel… que, quoi que, jusqu'à ce que, de ce que, pendant que, tandis que*, etc.

Mais il doit être analysé séparément lorsque, servant à exprimer une idée de comparaison ou de conséquence, il est corrélatif d'un des termes *aussi, autant, autre, autrement, le même, meilleur, mieux, moindre, moins, pire, plus, si, tel, tellement, tant…* :

> *Pierre est aussi sage* | **que** *son frère.*
>
> *Paul a autant de mérite* | **que** *son frère.*
>
> *On se voit d'un autre œil* | **qu'**on *ne voit son prochain.* (La Font.)
>
> *La grenouille s'enfla tellement* | **qu'**elle *creva.*

4. *Que*, dans la locution adverbiale de négation *ne… que* signifiant *seulement*, ne doit pas être analysé séparément :

> *Qui* **n'**entend **qu'**une *cloche* **n'**entend **qu'**un *son.*

EXERCICES

*134. Analysez le mot *que*.

1. Les connaissances que nous acquérons sont plus précieuses que l'or. — 2. La sagesse populaire enseigne que trop parler nuit. — 3. Que chacun s'applique à se bien connaître soi-même ! — 4. Ce que l'on conçoit bien, dit Boileau, s'énonce clairement. — 5. Que de voyageurs ont fait halte sous ce vieux chêne que frappe la cognée du bûcheron ! — 6. O vous que la vie a blessés ou fatigués, que ne cherchez-vous un asile dans un humble village ? — 7. Que devient votre frère ? — 8. Il ne savait plus que dire.

*135. Même exercice.

1. L'honneur commande que nous soyons strictement fidèles à la parole donnée. — 2. A tous les cœurs bien nés que la patrie est chère ! (Corneille.) — 3. L'esprit qu'on veut avoir gâte celui qu'on a. — 4. Que me font vos richesses si vous vous écartez de la voie que doivent suivre les gens d'honneur ? — 5. C'est une belle chose que la science. — 6. Que nous nous pardonnons aisément à nous-mêmes les fautes que nous avons commises ! — 7. Que de progrès tu pourrais faire si tu n'étais pas le paresseux que tu es ! — 8. Vous rappelez-vous l'hiver qu'il a fait si froid ? — 9. Que m'importent des promesses que l'on n'est pas résolu à tenir ?

*136. Même exercice.

1. Nous aimons que les autres soient exempts de défauts : n'est-il pas étrange que nous ne fassions presque rien pour corriger les nôtres ? — 2. C'est dans les Ardennes qu'il faut passer ses vacances si l'on aime les collines escarpées, les sites sauvages, les forêts que le crépuscule emplit de mystère. — 3. Un loup n'avait que les os et la peau ; il rencontra un dogue aussi puissant que beau. — 4. Honore ton père et ta mère, afin que tu vives longtemps et que le Seigneur te bénisse. — 5. Que te sert ta vitesse ? pouvait dire la tortue au lièvre. — 6. Que d'amis s'empressent autour de l'homme puissant ! Mais que l'adversité le frappe, que deviendront ces amis ? — 7. L'expérience prouve que la patience et la persévérance nous rendent plus forts que tous nos ennemis. — 8. Ne vois-tu pas, aveugle que tu es, que tu cours à ta perte ? — 9. Je me rappelle le jour que l'accident est arrivé.

*137. Même exercice.

L'Ordre.

On nous répète sans cesse, mes enfants, que l'ordre est excellent. Convenons que l'on n'a point tort et que l'ordre a une vertu éducatrice. Que d'avantages il peut nous procurer ! Rien n'est plus suggestif, à cet égard, qu'une maison bien tenue, où chaque chose est à la place que la ménagère a fixée, où les diverses besognes de la journée s'accomplissent avec autant de bonne humeur que d'exactitude. Qu'un tel intérieur est agréable ! C'est une joie que d'y vivre. Que ne peut-on convaincre chaque ménage que l'ordre est un des facteurs du bonheur familial !

Différentes valeurs de *en* et de *y*.

PRINCIPES

74. En peut être :

1º **Adverbe de lieu :** il signifie alors : *de là, de ce lieu :*

Venez-vous de là ? Oui, j'en viens [= je viens *de là, de ce lieu*].

2º **Pronom personnel :** il équivaut alors à un complément construit avec *de* et signifie : *de cette chose, de cet être, de ces choses, de ces êtres, de cela :*

J'aime ce livre et j'en apprécie les qualités [j'apprécie les qualités *de ce livre*].

Ce cheval est vicieux : défiez-vous-en [défiez-vous *de ce cheval*].

Vous chantiez ? j'en suis fort aise (La Font.) [je suis fort aise *de cela*].

Fonctions. — *En*, pronom personnel, peut avoir les fonctions suivantes :

1. Complément déterminatif : *La patience est amère, mais le fruit* **en** *est doux* [*en :* complément déterminatif de *fruit*].
2. Complément de l'adjectif : *J'apprends votre succès : j'en suis heureux* [*en :* complément de l'adjectif *heureux*].
3. Complément d'objet (direct ou indirect) : *Il demande du pain : on lui* en *donne* [*en :* complément d'objet direct partitif de *donne*]. — *Il connaît ma patience et il* **en** *abuse* [*en :* complément d'objet indirect de *abuse*].
4. Complément d'une expression de quantité (adverbe de quantité, pronom indéfini, nom de nombre) : *Il aime les tableaux : il* **en** *a beaucoup,* il **en** *a plusieurs,* il **en** *a soixante* [*en :* complément de *beaucoup ;* ... de *plusieurs ;* ... de *soixante*].
5. Complément circonstanciel de lieu, de cause, de moyen : *J'ai reçu vos documents ; j'en tirerai des renseignements utiles* [*en :* complément circonstanciel de lieu de *tirerai*]. — *Ce mal est grave : on* **en** *meurt.* — *Il trouva un manteau et s'en vêtit.*
6. Complément d'agent du verbe passif : *Ce roi aime son peuple et il* **en** *est aimé* [*en :* complément d'agent de *est aimé*].

Remarques. — 1. Il est parfois difficile de discerner si *en* est adverbe de lieu ou pronom personnel ; pour éviter l'indécision, on admettra que *en* est pronom personnel chaque fois qu'il représente un *nom* ou une *proposition* — et qu'il est adverbe de lieu chaque fois que, marquant le lieu, il ne représente pas un nom.

Viens-tu de la ville ? Oui, j'en viens [= je viens *de la ville ; en :* pronom pers.]
Sors-tu d'ici ? Oui, j'en sors [= je sors *d'ici ; en :* adv. de lieu].

2. *En* se trouve dans nombre de gallicismes : *je n'en reviens pas, on m'en veut, il m'en coûte de faire cela, c'en est fait, il m'en impose, je m'en tiens à cela, je m'en remets à vous, je n'en puis plus, on s'en prendra à vous,* etc.

3° **Préposition** : il introduit alors un nom, un pronom ou un gérondif :

> *J'ai fait ce travail* **en** *deux jours.* — *Il voyage* **en** *France.*
> *Nous arrivâmes* **en** *un lieu agréable.* — *Partir* **en** *voiture.*
> **En** *forgeant on devient forgeron.*

Remarques. — 1. La préposition *en* sert à former de nombreuses expressions équivalant à des adjectifs :

> *Un habit* **en lambeaux** [déchiré]. — *Il est* **en nage** [suant].
> *Un arbre* **en fleur** [fleuri]. — *Un officier* **en retraite** [retraité].
> *Un oiseau* **en liberté** [libre]. — *Il est encore* **en vie** [vivant].

2. *En* est une préposition vide lorsque, avec certains verbes, il introduit un attribut du sujet ou du complément d'objet :

> *Il parle* **en** *maître.* — *Nous traiterons cet homme* **en** *frère.*

75. Y peut être :

1° **Adverbe de lieu** : il signifie alors : *ici* ou *là* :

> *Viens-tu ici ? Oui, j'***y*** *viens* [je viens *ici*].
> *Allez-vous là ? Oui, j'***y*** *vais* [je vais *là*].

2° **Pronom personnel** : il équivaut alors à un complément construit avec *à* ou *dans* et signifie : *à* (ou *dans*) *cette chose, à* (ou *dans*) *ces choses, à cet être, à ces êtres, à cela* :

> *Voici une lettre, vous* **y** *répondrez* [vous répondrez *à cette lettre*].
> *Cet homme n'est pas honnête, ne vous* **y** *fiez pas* [ne vous fiez pas *à cet homme*].
> *On meurt comme on a vécu : pensez-***y*** [pensez *à cela*].
> *Il a un grand jardin : il* **y** *cultive toutes sortes de légumes* [il cultive *dans ce jardin...*].

Remarques. — 1. Il est parfois difficile de discerner si *y* est adverbe de lieu ou pronom personnel ; pour éviter l'indécision, on admettra que *y* est pronom personnel chaque fois qu'il représente un *nom* ou une *proposition* — et qu'il est adverbe de lieu chaque fois que, marquant le lieu, il ne représente pas un nom :

> *Est-il à sa place ? Oui il* **y** *est* [il est *à sa place* ; *y* : pronom personnel].
> *N'allez pas là, il* **y** *fait trop chaud* [il fait trop chaud *là* ; — *y* = adverbe de lieu].

2. *Y* se trouve dans nombre de gallicismes : *il* **y** *a, on n'***y*** voit pas, il* **y** *va de l'honneur, il s'***y*** prend mal, il s'***y*** entend, vous n'***y*** êtes pas, il faut* **y**

regarder à deux fois, il faut bien **y** *passer, je n'*y *puis plus tenir,* **dans deux**
*jours, il n'*y *paraîtra plus,* etc.

EXERCICES

*138. Analysez les mots *en* et *y*.

1. Ah ! la belle vallée que la vallée de la Meuse ! J'en reviens et
j'en garde un souvenir inoubliable. — 2. Nous vivons ici très heureux : venez nous y rejoindre. — 3. Aimez bien la Belgique, votre
patrie ; apprenez à en connaître la grandeur. — 4. Pour accomplir
cette tâche, il faut du courage : nous en aurons. — 5. Discernez les
tâches importantes et mettez-y tous vos soins. — 6. On vous a
fait quelques reproches, et vous en êtes tout triste ; mais, réfléchis-
sez-y bien : on s'est aperçu que vous vous écartiez de la voie droite
et on a voulu vous y ramener. — 7. Cet homme parle en soldat. —
8. Le travail est un trésor, n'en doutez pas. — 9. Un homme qui a
de la décision sait prendre promptement un parti et s'y tenir avec
fermeté. — 10. On apprend en vieillissant. — 11. Vivez en paix.

*139. Même exercice.

1. Ayez de l'ordre et rangez chaque chose en sa place ; cette règle
est excellente : conformez-vous-y. — 2. Nous agirons toujours en
gens d'honneur : nous en faisons la promesse ; nous aimerons le
bien, le juste, et nous y resterons constamment attachés. — 3. Nous
avons des défauts sans doute, mais si nous nous y prenions bien et
que nous en corrigions un chaque année, soyons-en certains, nous
serions bientôt parfaits. — 4. N'allez pas là : vous y trouveriez
plus de difficultés que vous n'en pourriez résoudre. — 5. Une bonne
santé est un capital précieux ; pour en jouir le plus longtemps possible, il faut éviter tout excès. — 6. La Saint-Nicolas est proche :
les jeunes enfants s'en réjouissent. Que de jouets aux étalages !
Que de merveilles les jeunes imaginations y admirent ! — 7. Il
est beau de voir une mère qui aime tendrement ses enfants et qui
en est aimée. — 8. On nous a accueillis en amis.

*140. Même exercice.

La Forge du village.

Voici, au détour du chemin, la forge du village ; entrons-y et
observons-en les particularités : le grand soufflet, le foyer rou-

geoyant avec sa vaste hotte toute noire, l'enclume luisante, le large établi et les outils qui y sont rangés. Regardons, tout en causant avec le forgeron, qui nous parlera de son métier et des agréments qu'il y trouve. En notre honnour voici qu'il se redresse devant l'enclume bien tintante, y dépose son gros marteau, rajuste son tablier de cuir, relève un peu sa manche de toile bleue, s'en essuie le front. Le beau visage ! La flamme du foyer y a empreint des reflets de bronze et nous en admirons la rude énergie. Ah ! certes, nous dit ce brave artisan, le travail est dur parfois, mais on en vient à bout quand on y met tout son cœur !

Différentes valeur de *où* et de *comme*.

PRINCIPES

76. Où peut être :

1º Adverbe de lieu :

a) interrogatif ; il signifie alors *en quel lieu ?* et s'emploie dans l'interrogation tant indirecte que directe, soit seul, soit dans les locutions *d'où, par où, jusqu'où* (parfois aussi dans *sur où, pour où, vers où*) :

> **Où** *me conduisez-vous ? — Dites-moi* **où** *vous me conduisez.*
> **D'où** *venez-vous ? — Je me demande* **d'où** *vous venez.*
> **Jusqu'où** *irons-nous ? Je ne sais pas* **jusqu'où** *nous irons.*

b) employé comme conjonction ; il signifie alors *là où* et sert à introduire une subordonnée complément circonstanciel de lieu ; il s'emploie seul ou dans les locutions *d'où, par où, jusqu'où* (parfois dans : *sur où, pour où, vers où*) :

> **Où** *la guêpe a passé, le moucheron demeure.* (La Font.).
> *Je viens* **d'où** *vous venez vous-même ; je passerai* **par où** *vous êtes passé ;*
> *j'irai* **jusqu'où** *vous êtes allé.*

2º Pronom relatif ; il représente alors un nom antécédent et signifie : *dans lequel, sur lequel, auquel, chez lequel, vers lequel,* etc. :

> *La maison* **où** *je demeure* [= dans laquelle…].
> *Le moment* **où** *je parle* [= pendant lequel…].

77. Comme peut être :

1º Adverbe :

a) de manière : **Comme** *il court !*

b) de quantité : **Comme** *il est fort !* — *J'étais* **comme** *aveugle.*

2º Conjonction :

a) marquant la cause : **Comme** *l'orage approche, je retarderai mon départ.*

b) marquant le temps : *J'ai rencontré mon ami* **comme** *je sortais.*

c) marquant la comparaison ou la manière (ou la comparaison et la manière en même temps) : *Faites* **comme** *il vous plaira.* — **Comme** *on fait son lit on se couche.* — *Vous savez* **comme** *il s'est conduit.*

Remarques. — 1. Quand il introduit une subordonnée complément circonstanciel de comparaison ou de manière, *comme* est en réalité un adverbe employé comme conjonction ; mais pour simplifier l'analyse, on peut l'appeler conjonction.

2. La conjonction *comme* à la valeur d'une préposition vide quand elle introduit l'attribut du complément d'objet ; pour simplifier l'analyse, on peut l'appeler alors préposition : *Je considère cet homme* **comme** *innocent.*

3. *Comme si* est une locution conjonctive servant à introduire une subordonnée complément circonstanciel marquant à la fois la comparaison et la supposition ; on n'analysera pas séparément chacun des deux éléments de cette locution : *Il me traite* **comme si** *j'étais son valet.*

EXERCICES

*141. Analysez le mot *où* :

1. Où peut-on être mieux qu'au sein de sa famille ? — 2. Revoici la saison où fleurissent les lilas, revoici les jours où la brise dit sa chanson légère. — 3. Savez-vous où aboutissent les sentiers de la paresse ? — 4. Où sont les neiges d'antan ? chantait le poète Villon. — 5. Comment pourrions-nous oublier les lieux où s'est écoulée notre enfance ? — 6. J'aime les vallées d'où monte, au crépuscule, une rumeur où se mêle le mugissement des troupeaux. — 7. Que de gens ne se plaisent qu'où ils ne sont pas !

*142. Même exercice.

1. Voyez quels sont les chemins par où vous arriverez au succès. — 2. Où sont-ils, les marins sombrés dans les nuits noires ? (Hugo.) — 3. On ne sait que trop jusqu'où peut aller l'ingratitude de certains enfants envers leurs parents. — 4. Qu'il serait triste de vivre dans une société d'où seraient bannies la justice et la charité ! — 5. Ne laissez nulle place où la main ne passe et repasse, disait le laboureur à ses enfants. — 6. Chacun a son défaut où le ramène sans cesse une pente naturelle : où trouvera-t-on la force de le corriger ? — 7. Jusqu'où ne monterai-je pas ? disait la devise du surintendant Fouquet. — 8. Nous ne souscrirons pas à cette plate maxime : Où il y a de la gêne il n'y a pas de plaisir. — 9. La flatterie nous prend par où nous sommes sensibles.

*143. Analysez le mot *comme* :

1. On meurt d'ordinaire comme on a vécu. — 2. Comme il babille, le ruisseau, dans la vallée ! Il se faufile comme une couleuvre entre les herbes hautes. — 3. Comme il est beau, l'enfant, avec son regard qui brille comme si la lumière d'un matin de printemps s'y reflétait ! — 4. Comme je me disposais à sortir, on me remit un télégramme. — 5. Comme nul homme n'est infaillible, je me défierai parfois de mon jugement. — 6. Certaines gens organisent leur vie comme s'ils ne devaient jamais mourir. — 7. Vous savez comme la peur paralyse les mouvements ; quand on est sous son empire, on est comme incapable de réflexion. — 8. Si quelqu'un vous dit qu'on peut rendre sa vie féconde sans travailler, considérez-le comme un imposteur.

Quelques cas spéciaux dans l'analyse des mots.

PRINCIPES

78. Voici des indications qui pourront aider, dans certains cas, à sortir d'embarras :

1o **Être** peut être :

a) **Verbe copule :**

       L'homme **est** *mortel.*

b) **Verbe auxiliaire** : dans ce cas, on ne l'analyse pas séparément : il fait partie de la forme verbale :

> *Quelques amis* **sont venus** *me voir.*

c) **Verbe intransitif**, quand il signifie « exister », « se trouver », « aller », « appartenir » ; dans ce cas, il peut avoir un complément :

> *Dieu* **est** *de toute éternité.*
> *Mon père* **est** *au bureau.*
> *J'*ai été *à Rome.*
> *Ce livre* **est** *à moi.*

2º Auxiliaires autres que *avoir* et *être*.

Certains verbes sont *auxiliaires* et ne s'analysent donc pas séparément, lorsque, suivis d'un infinitif, ils servent à exprimer certaines nuances de temps ou certains aspects du développement de l'action. Ainsi :

aller sert à exprimer	un futur proche : *Je* **vais partir.**	
s'en aller »	id. : *Je* **m'en vais parler.**	
devoir »	un fait probable : *Il* **doit** *m'***avoir trompé !**	
être à »	un fait qui dure : *Il* **est à s'habiller.**	
être en passe de »	un futur probable : *Il* **est en passe d'avoir** *cet emploi.*	
être en train de »	un fait qui dure : *Il* **est en train de bêcher.**	
être en voie de »	un futur probable : *Il* **est en voie de réussir.**	
être loin de »	une action qu'on n'est nullement disposé à accomplir : *Je* **suis loin d'approuver** *une telle conduite.*	
être pour »	un futur proche ou un fait dont on dit qu'il est de nature à produire tel ou tel effet : *Il* **est pour mourir** — *Cela* **n'**est *pas* **pour** *me* **déplaire.**	
être près de »	un fait proche : *L'orage* **est près d'éclater.**	
être sur le point de »	un fait tout proche : *Nous* **sommes sur le point de partir.**	
faillir : »	un fait qui a été tout près de se réaliser : *J'*ai failli **tomber.**	
manquer : »	id. *J'*ai manqué **tomber.**	
manquer de : »	id. *J'*ai manqué de **tomber.**	
paraître »	un fait qui n'est qu'une apparence : *Il* **paraît souffrir.**	
passer pour »	un fait qui est reflété par l'opinion publique : *Il* **passe pour avoir écrit** *ce pamphlet.*	

sembler sert à exprimer		un fait qui n'est qu'une apparence : *Le rivage* semble fuir.
venir à	»	un fait fortuit : *Un homme* vint à passer.
venir de	»	un passé récent : *Nous* venons de perdre *un ami très cher.*

79. Modèles d'analyse :

1. *Je* vais partir.
2. *Il* est en train de bêcher.
3. *Le rivage* semble fuir.

    1. vais partir : locution composée de :
        vais : verbe auxiliaire *aller*, servant à exprimer un futur proche ; indicatif présent, 1re pers. sing.
        et de *partir* : verbe intransitif ; infinitif présent.

    2. est en train de bêcher : locution composée de :
        est en train de : expression auxiliaire *être en train de,* servant à exprimer un fait qui dure ; indicatif présent ; 3e pers. sing.
        et de *bêcher :* verbe intransitif ; infinitif présent.

    3. semble fuir : locution composée de :
        semble : verbe auxiliaire *sembler*, servant à exprimer un fait qui n'est qu'une apparence ; indicatif présent ; 3e pers. sing.
        et de *fuir :* verbe intransitif ; infinitif présent.

3o Ce qui, ce que.

Dans des phrases comme :

    Ce | qui *brille n'est pas toujours de l'or.*
    Vous comprenez ce | qui *me préoccupe,* ce | que *je désire.*

on analyse séparément *ce* (pronom démonstratif neutre) et *qui* (pronom relatif) ou *que* (pronom relatif).

    Semblablement on analysera à part *ce* et *qui, ce* et *que,* dans l'interrogation indirecte [1] :

        1. *Je demande* ce | qui *vous gêne.*
        2. *Dites-moi* ce | que *vous avez vu.*

1. ce : pronom démonstratif ; neutre sing. ; objet direct de *demande.*
    qui : pronom relatif ; antécédent *ce ;* sujet de *gêne.*
2. ce : pronom démonstratif ; neutre sing. ; objet direct de *dites.*
    que : pronom relatif ; antécédent *ce ;* objet direct de *avez vu.*

---

1. Certains grammairiens considèrent *ce qui, ce que,* dans l'interrogation indirecte, comme des pronoms interrogatifs composés, dont les deux éléments ne doivent pas être analysés chacun à part. — Il paraît plus commode, dans les classes, d'analyser séparément *ce* et *qui* (ou *que*).

4º Il entra, les yeux hagards.

Dans les phrases :

Il entra, les yeux hagards.
Dans son fauteuil, un bon vieux dormait, les mains sur les genoux.
Ils allaient, l'arme au bras, front haut, graves, stoïques. (Hugo.)

on considérera que *yeux, mains, arme, front* se rapportent comme compléments d'objet directs au participe présent *ayant* sous-entendu [1] :

yeux : nom commun ; masc. plur. ; objet direct de *ayant* sous-entendu.
mains : nom commun ; fém. plur. ; objet direct de *ayant* sous-entendu.
arme : nom commun ; fém. sing. ; objet direct de *ayant* sous-entendu.
front : nom commun ; masc. sing. ; objet direct de *ayant* sous entendu.

5º Un homme d'une probité parfaite. — Il est d'une force prodigieuse.

Dans des phrases telles que :

Je connais un homme d'une probité parfaite.
Cet homme est d'une force prodigieuse.

où l'on a un nom de qualité accompagné d'une épithète, ce nom de qualité s'analysera ainsi :

probité : nom commun ; fém. sing. ; complément déterminatif de *homme*.
force : nom commun ; fém. sing. ; équivaut, avec le reste de l'expression *d'une force prodigieuse*, à un adjectif, attribut du sujet *homme*.

6º La nature est belle ce matin.

Dans des phrases telles que :

La nature est belle ce matin.
Le verger est joli avec ses pommiers en fleur.

---

1. On pourrait discuter sur l'analyse de ces expressions marquant généralement une attitude ou un aspect, au moyen d'un trait relatif soit à une partie du corps ou du vêtement, soit au costume ; on pourrait, par exemple, estimer que *les yeux hagards, les mains sur les genoux, l'arme au bras, front haut*, équivalent à des adjectifs — ou encore qu'ils sont des *compléments circonstanciels de manière*. — Mais pour des raisons d'ordre pédagogique, il semble préférable de sous-entendre *ayant*.

on a un complément circonstanciel se rapportant à l'ensemble du verbe *est* et de l'attribut. L'analyse sera ainsi :

matin : nom commun ; masc. sing. ; complément circonstanciel de temps de *est belle.*

pommiers : nom commun ; masc. plur. ; complément circonstanciel de cause de *est joli.*

EXERCICES

*144. Analysez le verbe *être*.

1. Dieu dit : Que la lumière soit ! — 2. La bonté est aimable. — 3. Il est certain que la vertu sera récompensée. — 4. Quiconque est loup agisse en loup. — 5. Si vous étiez arrivé plus tôt, vous seriez mieux placé. — 6. Si vous avez été à Paris, vous aurez constaté que cette capitale est fort belle. — 7. Rendez à César ce qui est à César, et à Dieu ce qui est à Dieu. — 8. Montons encore : bientôt nous serons au sommet de la montagne.

*145. Analysez les mots en italique.

1. *Ce qui* vient de la flûte s'en retourne au tambour. — 2. Savez-vous *ce qui* réjouit le plus le cœur de vos parents et *ce que* vous devez faire pour les rendre heureux ? — 3. Je *vais démontrer* que vous avez tort. — 4. Si vous *êtes en train de labourer* votre champ et qu'un voyageur épuisé *vienne à tomber* au bord du chemin, que ferez-vous ? — 5. La lune *semblait flotter* sur l'étang. — 6. C'est seulement quand ils *ont manqué de mourir* que certaines gens réfléchissent sur le sens de la mort. — 7. Ses yeux *paraissaient lancer* des flammes ; il vociférait, le *poing* tendu.

*146. Analysez les mots en italique.

1. Un homme d'une grande *bonté* se concilie tous les cœurs. — 2. Nous ignorons *ce que* l'avenir nous réserve. — 3. La foule, les *bras* étendus, répétait ses invocations. — 4. Si vous êtes certain qu'un personnage est d'une *honnêteté* douteuse, demandez-vous *ce que* vous risqueriez en lui confiant la défense de vos intérêts. — 5. Chasseurs maladroits, nous rentrions souvent, la *gibecière* vide, l'*estomac* creux. — 6. Le vin est bon en *France*. — 7. Le *matin*, la rosée était abondante.

EXERCICES RÉCAPITULATIFS SUR L'ANALYSE DES MOTS

N. B. — Dans ces exercices récapitulatifs, on a mis en *italique* des mots dont l'analyse présente quelque intérêt. Il va de soi que d'autres mots, dans ces textes, peuvent être utiles à analyser. C'est au maître de les choisir.

*147. **Bonté.**

Il faut *plus d'une* pomme
Pour emplir un panier.
Il faut plus d'un *pommier*
Pour que chante un *verger.*
Mais il ne faut qu'un homme
Pour qu'un peu de bonté
Luise comme une pomme
Que l'on *va partager.*

Maurice CARÊME.

*148. **Journée grise.**

Dehors *il* fait sombre. C'est un gris *après-midi* d'hiver. *On* dirait *que* le pauvre soleil est *tout à fait* mort pour toujours. Il tombe une *pluie* froide, fine, régulière. On ne voit presque pas à travers *les vitres, qui* sont couvertes de brouillard. C'est un temps *où* l'on n'a pas envie de *rire ou* de sauter. *Et* on *a* un peu *peur* de la nuit qui n'est pas *bien* loin, et qui étend lentement *son* grand manteau noir *et* lourd. Thérèse murmure d'une *voix* cassée une chanson lugubre avec des refrains très tristes. *Tout cela vous* donne un petit froid au cœur, pas tout à fait, mais un peu tout de même, *comme si* on avait envie de *pleurer.*

A. LICHTENBERGER.

*149. **Les Landes.**

Les landes sont *magnifiques.* La lande a *plusieurs* robes *qu'*elle change *souvent. Quand* la bruyère se fane, l'ajonc paraît en grappes d'or, l'herbe, à son tour fanée, devient un *tapis* d'or plus pâle ; *durant* l'hiver, la lande revêt sa grande robe de *neige*, tantôt mate, tantôt étincelante de *pierreries ;* le printemps fait fondre la *neige*

et la lande étale *sa* robe verte diaprée. *Beauté* toujours féconde
la lande est un *atelier où* travaille le *soleil*.

L. VEUILLOT.

*150.   *Un Trésor déterré.*

Nous déterrâmes complètement un coffre de bois de *forme* ob-
longue... Il était solidement maintenu par des *lames* de *fer* forgé,
rivées et *formant* tout autour une espèce de treillage. De *chaque*
côté du coffre, près du couvercle, étaient *trois anneaux* de fer, six
en tout, au moyen *desquels* six personnes pouvaient s'*en* emparer.
Tous nos efforts réunis ne réussirent qu'à le déranger *légèrement*...
Nous *vîmes tout de suite* l'impossibilité d'*emporter* un *si* énorme
poids. Par bonheur, le couvercle *n'*était retenu *que* par deux *verrous
que* nous fîmes glisser, — *tremblants* et pantelants d'*anxiété*. En
un instant, un trésor d'une *valeur* incalculable s'épanouit, *étincelant*,
devant nous. Les rayons des *lanternes* tombaient dans la *fosse* et
faisaient jaillir d'un *amas* confus d'or et de bijoux des éclairs et des
splendeurs *qui nous* éclaboussaient positivement les yeux.

E. POE (trad. par BAUDELAIRE).

*151.   *Le Semeur.*

Seul à son grand labeur *sous* le *ciel* inclément,
Le semeur, dans le *champ*, promenait sa main lente.
Un charlatan, *sonnant* sa fanfare insolente,
Sur un *tertre* voisin monta pompeusement.

Il eut *autour de* lui la foule en un moment,
Fit ses tours, harangua de façon turbulente,
Flatta fort *ces* oisons, et, séance tenante,
Leur vendit son remède à tous *maux, chèrement.*

Le semeur, dans le champ, menait son pas *tranquille.*
Le charlatan piqué tança *cet* indocile :
— « *Eh !* là-bas, l'homme au *sac*, qui *balances* ta main,

Sais-tu pas *que* je vends la vie *et* l'espérance ?
Que fais-tu, *quand ceux-ci* boivent l'eau de Jouvence ? »
L'autre, semant toujours, dit : « Je *leur* fais *du* pain ! »

L. VEUILLOT.

*152.   *Les Guerriers francs.*

Parés de la *dépouille* des *ours*, des veaux marins, des aurochs et des sangliers, les *Francs* se montraient de loin comme un *troupeau* de bêtes féroces. Une tunique *courte* et serrée laissait voir *toute* la hauteur de *leur* taille, et ne *leur* cachait pas le genou. Les yeux de ces *barbares* ont la couleur d'une mer orageuse ; leur chevelure blonde, ramenée en avant sur leur poitrine et teinte d'une *liqueur* rouge, est *semblable* à *du sang* et à du feu. La plupart ne laissent croître leur *barbe* qu'*au-dessus de* la bouche, *afin de* donner à leurs *lèvres* plus de ressemblance avec le *mufle* des dogues et des loups.

CHATEAUBRIAND.

*153.   *Phrases détachées.*

1. Ne faites pas *vos amis* de *ceux* qui cherchent à *l'*être en flattant votre *vanité* ; *c'est* pour *eux qu'*ils vous aiment et non pour vous. — 2. *Quoi* de plus ondoyant que l'*opinion* publique ? N'est-il pas *fréquent* qu'elle blâme *aujourd'hui tel* personnage *qu'*elle portait hier aux *nues ?* — 3. Bien des *gens* ont la conviction que le bonheur est dans les *richesses :* ils se trompent lourdement. — 4. Notre science *est* toujours bornée par *quelque* endroit ; *quelque savants que* nous soyons, il *nous* reste toujours *quelque chose* à apprendre. — 5. La science pénètre aujourd'hui jusqu'aux *profondeurs* de ce monde invisible *dont* Pasteur *lui* a ouvert les portes, le monde des microbes. — 6. Heureux les *humbles !* — 7. *C'est* la cendre des morts *qui* créa la patrie. (Lamartine.) — 8. Il y a eu de tout temps, *hélas ! des Judas* prêts à *vendre* leur maître pour trente *deniers.*

*154.   *Blacky, chien, chasseur de rats et de taupes.*

Il chassait le rat avec une intelligente *ardeur.* Il *en avait* de préférence au rat d'eau. *Tous* les trous de la *berge* recevaient *chaque* jour sa reniflante visite. *Mais* on ne peut pas dire *qu'il* connût là de brillants succès. Par contre, il devint vite la *terreur* des taupes. Il *vous* avait une façon de suivre leur trace dans la *terre* soulevée, d'enfoncer son museau dans les taupinières, d'agrandir le trou avec ses *griffes* agiles ; et il finissait toujours par atteindre sa proie *qu'*il extirpait de la *terre* comme une *carotte.* Alors sa victime, son trophée, devenait son *jouet.* Il *la* lançait en l'air, la rattrapait, la secouait entre ses dents comme une grosse *loque* molle, *la* promenait au trot sur les sentiers, la *tête* fière, ses courtes pattes tournées en dehors, comme un *basset* cagneux.

C. MELLOY.

*155.   *Phrases détachées.*

1. *Quand* on n'a pas *ce* qu'on aime, dit le proverbe, il faut *aimer* ce *que* l'on a. — 2. *Lorsque* Dieu forma le *cœur* et les entrailles de l'homme, il *y* mit premièrement la bonté. (Bossuet.) — 3. *Rien* ne sert de courir, il faut *partir* à point. — 4. *Quiconque* fait l'aumône *pour qu'*on le voie n'a pas la vraie charité. — 5. Malheur à *celui* qui est *seul* : s'il tombe, il n'a personne *qui* puisse le relever. — 6. La jalousie, *passion* si universelle *parmi* les hommes, montre combien est profonde la *malignité* de notre cœur. Notre frère ne *nous* nuit en rien, et il *nous* devient cependant un objet de haine, parce que nous le voyons *plus heureux* que nous. — 7. *Honneur* aux *mains* calleuses !

*156.   *Le Soir descend sur le village.*

Le soir lentement descend sur le *village* ; c'est le *crépuscule*, la nuit tombant de ses *ombres* indécises. Au *couchant*, il ne reste qu'une étroite *bande* couleur de cuivre. La journée de *travail* est achevée, une journée d'octobre grise qui ne s'est éclairée à la fin que par ce *rayon* resté comme un regret au *bord* de l'horizon, sur les champs de terre rouge endormis. Les paysans rentrent, *ramenant* les bêtes ; *leurs* silhouettes brunes, quand ils passent *devant* la forge, se profilent, *fantastiques*, sur ce fond de braise *qui* semble un grand œil ardent ouvert au milieu du village. Au clocher de l'*église* tinte un *appel* monotone.

Marie de LACRETELLE.

*157.   *Une Cabane de pêcheurs.*

La cabane, bâtie en *fortes planches* enduites de goudron, était posée au *sommet* d'un renflement de la prairie, *bourrelet* d'alluvions, qui suffisait à protéger ses habitants contre les *crues* ordinaires. Entre la façade et la rive *toute* proche du fleuve, dans un carré de pré en pente aux trois quarts dépouillé d'herbe, *des* filets séchaient, accrochés à des pieux, et aussi des *nasses* d'osier, la *pointe* en l'air.

De loin, les passants de la *campagne* pouvaient croire *que* cet abri de planches, *que* précédaient, pour tout jardin, des *seines* et des trémails, pendus en guirlandes, n'était qu'un refuge de pêcheurs, habité seulement pendant les *mois* d'été. Mais non, les Loutrel *y* vivaient à demeure, depuis de longues années.

R. BAZIN.

*158. ### *Le Forgeron.*

L'homme avive la *braise* qui rougit le noir foyer. Il prend le fer dans la *pince* et le tient sur le *feu jusqu'à ce qu'*il soit *incandescent ;* puis il *le* pose sur l'enclume et, de la *main* gauche, il le tourne et le retourne, pendant que, de la main droite, il le frappe du pesant marteau ; le fer s'amincit et s'allonge ; de ce côté, et puis de l'autre, et de l'autre encore, en jetant tout *autour* une pluie d'étincelles. Le fer a été *blanc* et rose et d'un rouge sombre, et enfin il a repris sa couleur ; mais, même sous cet aspect, il est brûlant comme le *feu*. L'homme le plonge dans l'eau *qui* grésille en remplissant l'âtre de *fumée ;* et saisissant de sa pince une autre barre de fer, il recommence la même opération. De sept *heures* du matin jusqu'à la nuit close, l'atelier retentit du *bruit* du marteau retombant sur l'enclume.

J. SIMON.

*159. ### *L'Âme odorante du village.*

L'âme odorante *du* village montait aussi *jusqu'*au hameau et emplissait la cour et la maison. Au printemps, c'était le parfum des terres remuées ; en été, les senteurs grisantes des fleurs tranquilles *et* du blé doré ; en automne, les feuilles mortes des bois d'alentour couvraient la colline d'une douce *amertume* qui se mêlait aux fumées des feux de fanes, et *chaque* demeure exhalait un goût franc de fruit mûr ; l'*hiver*, la résine *ou* le pain frais flottaient *dans* toutes les pièces, et les armoires, un *instant* ouvertes, *les* emplissaient de *lavande* ou de thym.

J. TOUSSEUL.

*160. ### *La Poule et ses poussins.*

La *grosse* poule, blanche comme le *fromage* à la crème, couve dans un fond de panier, *près de* la cabane *dont* le locataire enfermé farfouille. Mais la poule noire circule. Elle dresse et rentre, par

saccades, son cou élastique, s'avance à grands *pas* maniérés ; on
entrevoit son profil *où* cligne une paillette, et sa parole semble
produite par un ressort métallique. Elle va, *chatoyante* de reflets
noirs et lustrés, comme une coiffure de gitane et, en marchant,
elle déploie *çà et là* sur le sol *une* vague *traîne* de *poussins*.

Ces légères *petites* sphères jaunes, sur *qui* l'instinct souffle et
*qu'*il fait refluer toutes, se précipitent sous ses pas par courts *crochets* rapides, et picorent. La traîne reste accrochée : *deux* poussins,
dans le tas, sont *immobiles* et pensifs, inattentifs aux *déclics* de la
voix maternelle.

H. BARBUSSE.

*161.   *Phrases détachées.*

1. *Aucun* nuage n'est si *noir qu'*on ne puisse *y* découvrir une
bordure d'argent. — 2. *C'est* dans le jeune âge *qu'il* faut *acquérir*
de bonnes habitudes. — 3. Quand *il y va de* l'honneur, nous ne
délibérons pas. — 4. *C'est* toujours la plus mauvaise roue d'un
chariot, dit-on, *qui* fait le plus de bruit. — 5. Loin de *nous* les *héros*
sans *humanité !* Ils pourront bien forcer les respects et ravir l'admi-
ration, comme font tous les *objets* extraordinaires ; *mais* ils n'auront
pas les cœurs. (Bossuet.) — 6. Quand un homme s'humilie de ses
défauts, il apaise aisément *les autres* et *se concilie* sans peine *ceux*
qui sont irrités *contre* lui.

*162.   *La Susceptibilité des gens de lettres.*

Leurs ouvrages *leur* semblent *sacrés* ; *y* reprendre seulement un
mot, c'est leur faire une blessure mortelle. *C'est* là *que* la vanité,
qui semble naturellement n'être qu'enjouée, devient *cruelle* et
impitoyable. La satire sort bientôt des premières *bornes,* et d'une
guerre de mots elle passe à *des* libelles diffamatoires, à des accusations
outrageuses contre les mœurs et les personnes. Là on ne regarde
plus combien les traits sont envenimés, *pourvu qu'*ils soient lancés
avec *art,* ni combien les plaies sont *mortelles* à l'honneur, pourvu
que les morsures soient ingénieuses ; tant il est vrai, *chrétiens,* que
la vanité corrompt *tout,* jusqu'aux exercices les plus innocents de
l'*esprit,* et *ne* laisse *rien d'entier* dans la vie humaine.

BOSSUET.

*163.   *Tchantchet.*

Le favori, c'était Tchantchet [1]. On *ne* l'admirait *pas, celui-là,*
on l'aimait. Dès qu'il paraissait, pirouettant dans *son* vieux sarrau,
au bout de la tige de fer vissée à son *crâne* chauve, et *qu'*il vous
regardait de ses *yeux* ronds louchant le long de son grand nez, le
rire courait sur *tous* les bancs. Tour à tour *concierge*, laquais, cuisinier, laboureur ou marchand, rude à ses *maîtres*, terrible de bavar-
dage et de sincérité, gourmand, buveur et paillard, aussi prodigue
de coups de tête que de coups de langue, il promenait *à travers* ces
épopées la comique rondeur *du* gros bon sens et de l'esprit gaulois.

                                        Edmond GLESENER.

*164.   *L'Escaut.*

Tu es l'ample *auxiliaire* et la force féconde
D'un peuple ardu, farouche et violent,
Qui veut *tailler* sa part dans la *splendeur* du *monde.*
Tes bords puissants et gras, ton cours profond et lent
Sont l'*image* de sa ténacité vivace ;
L'homme d'ici, sa famille, sa race,
Ses tristesses, ses volontés, ses vœux
Se retrouvent *en* tes aspects silencieux.
Cieux tragiques, cieux exaltés, cieux monotones,
Escaut d'hiver, Escaut d'été, Escaut d'automne,
Tout notre être changeant se reconnaît en *toi ;*
Vainqueur, tu nous soutiens ; vaincu, tu *nous* délivres,
Et ce sera toujours et chaque fois
            Par *toi*
Que le pays foulé, gémissant et pantois,
Redressera sa force et voudra vivre et vivre !

                                        E. VERHAEREN.

*165.   *Un Jeune Dessinateur.*

A l'âge de quatre *ans*, je dessinais avec ardeur ; mais loin de
retracer tous les objets qui s'offraient à mes regards, je représentais

---

1. Tchantchet (Jean Haust écrit : *Tchantchès*) : diminutif de *Françwès. Tchantchet Bonète* ou ordinairement *Tchantchet* tout court : personnage du théâtre
liégeois des marionnettes ; il représente l'homme du peuple et le paysan.

uniquement *des* soldats. A vrai dire, je ne *les* dessinais pas *d'après* nature : la nature est *complexe* et ne se laisse pas imiter facilement. Je ne les dessinais pas non plus d'après les images d'*Épinal que* j'achetais un *sou* la *pièce*. Il y avait encore là *trop de* lignes dans *lesquelles* je me serais perdu. Je *me proposais* pour *modèle* le *souvenir* simplifié de ces images. Mes soldats se composaient d'un *rond* pour la tête, d'un trait pour le corps, et d'un trait pour chaque bras et pour chaque jambe. Une ligne brisée comme un éclair figurait le fusil avec sa baïonnette et c'était très *expressif*. Je ne faisais pas entrer le *shako* sur la tête ; je *le* mettais dessus, pour montrer *toute* ma science et spécifier à la fois la forme de la tête et *celle* de la coiffure.

A. FRANCE.

ANALYSE DES PHRASES

Les Propositions indépendantes.
Les Propositions principales et les subordonnées.
Les Propositions incidentes.

PRINCIPES

80. La proposition **indépendante** est celle qui ne dépend d'aucune autre et dont aucune autre ne dépend :

La moquerie est souvent indigence d'esprit. (La Bruyère.)

81. La proposition **principale** est celle qui a sous sa dépendance une ou plusieurs autres propositions :

On a perdu bien peu | *quand on garde l'honneur.* (Voltaire.)

82. La proposition **subordonnée** est celle qui est dans la dépendance d'une autre proposition :

On a perdu bien peu | **quand on garde l'honneur.** (Voltaire.)

Remarques. — 1. Une proposition subordonnée peut avoir dans sa dépendance une autre proposition subordonnée : la première est alors *principale* par rapport à la seconde :

    1. *Les moralistes affirment*
    2. *que l'on peut aller loin :* subordonnée à 1 ; principale par rapport à 3.
    3. *quand on a de la volonté :* subordonnée à 2.

2. On peut représenter graphiquement les rapports existant entre les propositions principales et les subordonnées :

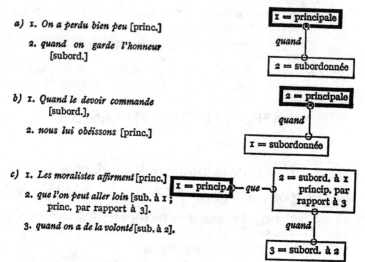

a) 1. *On a perdu bien peu* [princ.]

    2. *quand on garde l'honneur* [subord.]

b) 1. *Quand le devoir commande* [subord.],

    2. *nous lui obéissons* [princ.]

c) 1. *Les moralistes affirment* [princ.]

    2. *que l'on peut aller loin* [sub. à 1; princ. par rapport à 3].

    3. *quand on a de la volonté* [sub. à 2].

83. La proposition **incidente** est une proposition indépendante ou principale, généralement courte, intercalée dans la phrase ou ajoutée à la fin de la phrase — mais sans aucun lien grammatical avec elle — et indiquant qu'on rapporte les paroles de quelqu'un ou exprimant une sorte de parenthèse :

Sire, | **répond l'agneau,** | *que Votre Majesté ne se mette pas en colère.*

(La Font.)

Allons, faites donner la garde, | **cria-t-il.** (Hugo.)

L'honneur, | **vous le savez,** | *est un bien précieux.*

84. Division d'une phrase en propositions. — On peut suivre la méthode générale que voici :

1° On souligne :

    les verbes à un mode personnel ;

    les infinitifs ayant un sujet propre ;

    les participes ayant un sujet propre.

N. B. — Ne pas perdre de vue qu'il y a parfois des verbes sous-entendus.

2⁰ On trace un petit trait vertical :

    devant les conjonctions de coordination unissant des propositions (voir la liste p. 77) ;

    devant les conjonctions de subordination (voir la liste p. 77) ;

    devant les pronoms relatifs ;

    devant les mots interrogatifs introduisant une interrogation indirecte.

3⁰ On tâche de discerner la proposition *principale* dont le verbe est la **base de la phrase.** Souvent le sens général de la phrase la fera reconnaître aisément. Subsidiairement on pourra observer qu'elle ne commence pas :

    par une conjonction de subordination [1] ;

    par un pronom relatif.

4⁰ On cherche à reconnaître l'espèce de chaque proposition subordonnée ; pour cela **on consulte le sens,** et on applique, mais dans le cadre de la phrase composée, les divers moyens qui, dans le cadre de la phrase simple, permettaient d'identifier un sujet, un attribut, une apposition, un complément d'objet, un complément circonstanciel, un complément d'agent, un complément de nom, un complément d'adjectif, etc.

EXERCICES

*166. Discernez les diverses espèces de propositions ; dans chaque phrase, séparez-les l'une de l'autre, quand il y a lieu, par un petit trait vertical, et marquez-les du signe convenable : *ind. — princ. — sub. — incid.*

a) 1. Notre corps est mortel ; notre âme est immortelle. — 2. L'ordre a des avantages précieux. — 3. On ne fait rien de grand si l'on n'a pas d'idéal. — 4. Quand on ne fait rien, on est près de mal faire. — 5. Nos parents désirent que nous devenions des gens instruits et honnêtes.

b) 1. La moquerie, dit-on, révèle souvent un manque d'esprit. — 2. Si vous voulez juger un homme, observez ses amis. — 3. Le sage sait que le temps est précieux : il ne le gaspille pas. — 4. L'hi-

---

1. Se rappeler qu'une proposition subordonnée est *principale* par rapport à une autre proposition qu'elle aurait dans sa dépendance.

rondelle nous quitte dès que s'annoncent les brouillards de l'automne. — 5. Chat en mitaines n'attrape pas de souris, dit le bonhomme Richard.

*167. Complétez les phrases suivantes en ajoutant à chacune d'elles une proposition subordonnée :

1. Vous ferez des progrès si... — 2. J'aime les voyages parce que... — 3. Si..., je fonderais des sanatoriums. — 4. Quand..., les souris dansent. — 5. Faites l'aumône afin que... — 6. Chacun sait que...

*168. Complétez les phrases suivantes en faisant dépendre chacune d'elles d'une principale :

1. Si un aveugle conduit un autre aveugle,... — 2. Puisqu'on nous recommande la prudence,... — 3. ... que tout mauvais arbre sera coupé. — 4. Quoique je sois jeune,... — 5. Comme personne n'est sans défaut,...

*169. Distinguez les propositions ; dans chaque phrase, séparez-les l'une de l'autre, quand il y a lieu, par un petit trait vertical, et marquez-lez du signe approprié : *ind.—princ.—sub.—incid.*

Quelques conseils.

Si tu veux vivre heureux, dit un sage, marche deux heures chaque jour au grand air ; couche-toi dès que tu as envie de dormir ; lève-toi lorsque tu t'éveilles ; dès que tu es levé, travaille. Ne mange qu'à ta faim, ne bois qu'à ta soif. Ne parle pas si cela est inutile : la parole est d'argent, dit le proverbe, mais le silence est d'or. Rappelle-toi qu'un homme avisé compte avant tout sur lui-même lorsque des difficultés surgissent. Cependant fais-toi des amis qui puissent t'aider si tu les en pries.

Les Propositions coordonnées.
Les Propositions juxtaposées.

PRINCIPES

85. Les propositions *de même nature* peuvent, dans la phrase, être associées par *coordination* ou par *juxtaposition*.

a) Sont dites **coordonnées** les propositions de même nature qui sont liées entre elles par une conjonction — qui est une conjonction de coordination (voir la liste p. 77) :

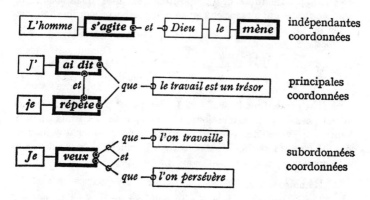

b) Sont dites **juxtaposées** les propositions de même nature qui, dans une même phrase, sont placées l'une à côté de l'autre, sans l'aide d'une conjonction :

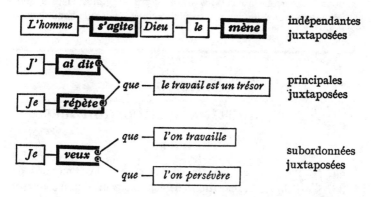

Remarque. — Une proposition *indépendante* peut être associée à une *principale* (ou vice versa) soit par coordination, soit par juxtaposition.

EXERCICES

*170. Dans chaque phrase séparez les propositions par un trait vertical ; numérotez ces propositions et dites quelles sont les propositions qui s'associent entre elles, soit par coordination, soit par juxtaposition.

> Modèle : 1. *Je veux*
> 2. *que l'on travaille*
> 3. *et que l'on persévère.*
> (les propositions 2 et 3 sont coordonnées par la conjonction *et*).

1. Tout passe, tout lasse. — 2. Le temps est précieux : ne le gaspillons pas. — 3. L'instruction est amère, mais les fruits en sont doux. — 4. Vous êtes peu expérimentés ; donc aimez à demander conseil ; cependant choisissez bien vos conseillers. — 5. Défiez-vous des apparences, car elles sont souvent trompeuses.

*171. Même exercice.

1. Le vice est odieux ; or le mensonge est un vice ; donc le mensonge est odieux. — 2. Si vous étiez plus attentif et si vous aviez un peu plus de volonté, vous obtiendriez de beaux succès. — 3. Je crois, je proclame que la patience vient à bout de tout. — 4. L'instruction nous éclaire ; elle peut aussi nous aider à résister au vice, si nous la mettons au service de la vertu. — 5. La sagesse nous enseigne que nous devons mériter la louange, mais que nous devons la fuir.

Fonctions
des Propositions subordonnées.

PRINCIPES

86. De même que, dans la *phrase simple*, les fonctions de sujet, d'attribut, d'apposition, de complément d'objet (direct ou indirect), de complément circonstanciel, de complément d'agent, de complément de nom ou d'adjectif, etc. peuvent être remplies par un mot (nom, pronom, adjectif), de même, dans

la *phrase composée,* ces différentes fonctions peuvent être remplies par une *proposition :*

Comparez :

Sujet :	*Il faut* **de la patience.**	*Il faut* **que l'on patiente.**
Attribut :	*Le remède serait* **une vie solitaire.**	*Le remède serait* **que tu vives dans la solitude.**
Apposition :	*Ne renversons pas le prin-cipe* **de la primauté du droit sur la force.**	*Ne renversons pas le prin-cipe* **que le droit prime la force.**
Objet direct :	*J'attends* **son retour.**	*J'attends* **qu'il revienne.**
Objet indirect :	*Je consens* **à son départ.**	*Je consens* **qu'il parte.**
Compl. circonst. :	*Opposez-vous au mal* **avant son enracinement.**	*Opposez-vous au mal* **avant qu'il s'enracine.**
Compl. d'agent :	*Cet homme est aimé* **de tous.**	*Cet homme est aimé* **de quiconque le connaît.**
Compl. détermin. :	*La modestie* **de l'orgueil-leux** *est détestable.*	*La modestie* **qui procède de l'orgueil** *est détes-table.*
Compl. explica-tif :	*La modestie,* **ornement du mérite,** *sied aux sa-vants.*	*La modestie,* **qui relève si bien le mérite,** *sied aux savants.*
Compl. d'adject. :	*Certain* **de la victoire,** *le lièvre se repose.*	*Certain* **qu'il vaincra,** *le lièvre se repose.*
Compl. du compa-ratif :	*Pierre est plus savant* **que Paul.**	*Pierre est plus savant* **qu'on ne pense.**
Compl. du pré-sentatif :	*Voici* **la nuit.**	*Voici* **que la nuit vient.**

87. Base de la phrase ; base de la proposition.

Dans l'analyse d'une phrase composée, il y a lieu de distinguer :

le verbe principal, qui est la *base de la phrase,*

et le verbe *base d'une proposition.*

Ainsi dans

L'expérience **prouve** | *que l'oisiveté* **dégrade** *l'homme,*

le verbe *prouve* est la *base de la phrase,*

le verbe *dégrade* est la *base de la proposition* subordonnée
objet direct.

N. B. — Le terme *base* ne doit s'appliquer à l'infinitif et au participe
subordonnés que lorsqu'ils ont un sujet propre (voir § 94,4° : proposition
infinitive, — et § 117 : proposition participe) :

J'entends | *les oiseaux* **chanter.** — *Dieu* **aidant,** | *nous* **vaincrons.**

88. Analyse de la phrase.

a) Simple distinction des propositions. — Si l'on veut simplement distinguer les diverses propositions d'une phrase, sans aller jusqu'à l'analyse des mots, on se contente d'identifier la proposition principale (c'est celle dont le verbe est la *base de la phrase*), puis les différentes propositions subordonnées, en indiquant, pour chacune, la fonction qu'elle remplit et le mot qui l'introduit.

b) Analyse complète. — Mais si l'on veut faire l'analyse complète de la phrase en partant de l'ensemble de cette phrase pour aboutir aux mots et pour marquer les rapports existant entre eux, on en dégage d'abord, **en consultant le sens,** les éléments essentiels, qui sont, selon les phrases :

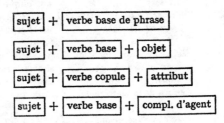

Puis on rattache à ces éléments les termes secondaires qui
    les déterminent,
    ou les complètent,
    ou les mettent en relief,
    ou unissent le complément au terme complété.

En suivant la méthode indiquée par le *Code de Terminologie* [1] :

1° On discerne la *base de la phrase* (verbe principal) ;

2° On distingue les diverses propositions, les groupes de mots et les mots remplissant les différentes fonctions (sujet, attribut, objet direct, objet indirect, complément circonstanciel, etc.);

---

1. Voir le *Code de Terminologie grammaticale* du Ministère belge de l'Instruction publique, édit. revue (1957), p. 16.

3º A l'intérieur de chaque proposition et de chaque groupe, on analyse les mots, en indiquant éventuellement la *base* de chaque proposition et le *centre* de chaque groupe.

N. B. — Pour analyser les mots, on en indique la nature et, selon le cas : le genre, le nombre, la personne, l'emploi transitif (direct, indirect) ou intransitif, la voix, etc.

Subordonnées sujets.

PRINCIPES

89. La **subordonnée sujet** peut être :

1º Une proposition introduite par la conjonction *que,* après un verbe de forme impersonnelle ; cette proposition est le sujet *réel* du verbe de forme impersonnelle (qui a pour sujet *apparent* le pronom *il*) :

> *Il faut* | que l'on travaille. — *Il convient* | que vous veniez.

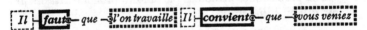

2º Une proposition introduite par la conjonction *que* et placée en tête de la phrase (et souvent reprise par *ce, cela, la chose, le fait,* etc.) [1] :

> Que des vérités si simples soient dites | *n'est pas inutile.*
> Que vous ayez fait une si belle action, | *cela vous honore.*

3º Une proposition commençant par *que, si, comme, quand, lorsque,* placée après la principale, mais annoncée en tête de la phrase par *ce, ceci, cela, ça* [2] :

---

1. On pourrait admettre aussi que cette proposition est *en apposition* à *ce, cela, la chose, le fait,* etc. (§ 92, Rem.).

2. Il est loisible aussi de considérer ces propositions comme des subordonnées *en apposition* à *ce, ceci, cela, ça* (§ 92, Rem.).

> C'est *un bien* | que nous ignorions l'avenir.
> Ce *fut miracle* | s'il ne se rompit pas le cou.
> C'est *étonnant* | comme il a grandi.
> C'est *rare* | quand il se trompe.
> Cela *m'étonne* | qu'il ne m'ait pas averti.

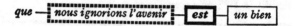

4° Une proposition introduite par la conjonction **que**, après certaines expressions comme *d'où vient... ? de là vient..., qu'importe... ? à cela s'ajoute... :*

> D'où vient | que nul n'est content de son sort ?
> A cela s'ajoute | qu'il a manqué de prudence.

5° Une proposition introduite par un des pronoms relatifs indéfinis **qui** ou **quiconque:**

> Qui veut la fin | veut les moyens.
> Quiconque ne sait pas souffrir | n'a pas un grand cœur.

> (Fénelon.)

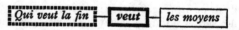

6° Une proposition infinitive (avec son sujet propre), reprise par *ce, cela, la chose, le fait,* etc. [1] :

> Un fils insulter sa mère, | cela *est odieux.*

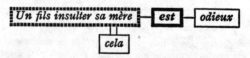

---

1. On pourrait admettre aussi que cette proposition est *en apposition à ce, cela, la chose, le fait,* etc.

90. Modèles d'analyse :

1. *Il convient que vous veniez.*
2. *Que ces vérités soient méconnues me surprend.*
3. *Que vous ayez fait cette action, cela vous honore.*
4. *C'est un bien que nous ignorions l'avenir.*
5. *Qui veut la fin veut les moyens.*

a) Simple distinction des propositions :

1. **Il convient** : propos. principale.
   que vous veniez : propos. subordonnée ; sujet réel de *convient ;* introduite par la conjonction *que.*
2. **Que ces vérités soient méconnues** : propos. subordonnée ; sujet de *surprend ;* introduite par la conjonction *que.*
   me surprend : propos. principale [1].
3. **Que vous ayez fait cette action** : propos. subordonnée ; sujet (repris par *cela*) de *honore* [on peut dire aussi : en apposition à *cela*] ; introduite par la conjonction *que.*
   cela vous honore : propos. principale.
4. **C'est un bien** : propos. principale.
   que nous ignorions l'avenir : propos. subordonnée ; sujet (annoncé par *ce*) de *est un bien* [on peut dire aussi : en apposition à *ce*] ; introduite par la conjonction *que.*
5. **Qui veut la fin** : propos. subordonnée relative ; sujet de *veut ;* introduite par le pronom relatif indéfini *qui.*
   veut les moyens : propos. principale [2].

b) Analyse complète des phrases :

1. *Il convient que vous veniez.*   •
   Base de la phrase : « convient ». Verbe *convenir,* impersonnel, voix act., indic. prés. ; 3e pers. sing.
      Sujet apparent : « il ». Pron. pers., neutre sing., 3e pers.
      Proposition sujet réel : « que vous veniez ».
        Base de la propos. : « veniez ». Verbe *venir,* intrans., subj. prés., 2e pers. plur.

---

1. En réalité, cette proposition principale ne fait un tout que si l'on y joint son sujet, qui est lui-même une proposition : *que ces vérités soient méconnues.* Comparez : *La méconnaissance de ces vérités me surprend.*

2. On fera ici une observation analogue à celle qui vient d'être faite à propos de la phrase : *Que ces vérités soient méconnues me surprend.*

Conj. de subordin. : « que », unit la propos. à la base de la phrase « convient ».

Sujet : « vous ». Pron. pers., 2ᵉ pers. masc. (ou fém.) plur.

2. *Que ces vérités soient méconnues me surprend.*

Base de la phrase : « surprend ». Verbe *surprendre*, trans. dir., voix act., indic. prés., 3ᵉ pers. sing.

Proposition sujet : « que ces vérités soient méconnues ».

Base de la propos. : « soient ». Verbe copule *être*, subj. prés. ; 3ᵉ pers. plur.

Conj. de subordin. : « qui », unit la propos. à la base de la phrase « surprend ».

Groupe du sujet : « ces vérités ».

Centre du suj. : « vérités ». Nom commun, fém. plur.

Déterminatif : « ces ». Adj. démonstr., fém. plur., se rapporte à « vérités ».

Attribut du sujet : « méconnues ». Verbe *méconnaître*, voix passive, participe passé, fém. plur.

Objet direct : me ». Pron. pers., 1ʳᵉ pers., masc. (ou fém.).

3. *Que vous ayez fait cette action, cela vous honore.*

Base de la phrase : « honore ». Verbe *honorer*, trans. dir., voix act., indic. prés., 3ᵉ pers. sing.

Sujet de reprise : « cela ». Pron. démonstr., neutre sing., reprend la propos. « que vous ayez fait cette action ».

Objet direct : « vous ». Pron. pers., 2ᵉ pers. masc. (ou fém.) plur.

Propos. sujet : « que vous ayez fait cette action ».

Base de la propos. : « ayez fait ». Verbe *faire*, trans. dir., voix act., subj. passé, 2ᵉ pers. plur.

Conj. de subordin. : « que », unit la propos. à la base de la phrase « honore ».

Sujet : « vous ». Pron. pers., 2ᵉ pers. masc. (ou fém.) plur.

Groupe de l'objet dir. : « cette action ».

Centre de l'obj. dir. : « action ». Nom commun, fém. sing.

Déterminatif : « cette ». Adj. démonstr., fém. sing., se rapporte à « action ».

4. *C'est un bien que nous ignorions l'avenir.*

Base de la phrase : « est ». Verbe copule *être*, indic. prés., 3ᵉ pers. sing.

Sujet (annonçant la propos. sujet) : « c' ». Pron. démonstr., neutre
sing., annonce la propos. « que nous ignorions l'avenir ».
Groupe de l'attribut du sujet : « un bien ».
Centre de l'attr. : « bien ». Nom commun, masc. sing.
Déterminatif : « un ». Article indéf., masc. sing., se rapporte à
« bien ».
Propos. sujet : « que nous ignorions l'avenir ».
Base de la propos. : « ignorions ». Verbe *ignorer*, trans. dir., voix
active, subj. prés., 1re pers. plur.
Conj. de subordin. : « que », unit la propos. à la base de la phrase
« est ».
Sujet : « nous ». Pron. pers., 1re pers. masc. plur.
Groupe de l'obj. dir. : « l'avenir ».
Centre : « avenir ». Nom commun, masc. plur.
Déterminatif : « l' ». Article défini élidé, masc. sing., se
rapporte à « avenir ».

5. *Qui veut la fin veut les moyens.*
Base de la phrase : « veut » (le 2e dans la phrase). Verbe *vou-
loir*, trans. dir., voix act., indic. prés., 3e pers. sing.
Groupe de l'obj. dir. : « les moyens ».
Centre de l'obj. dir. : « moyens ». Nom commun, masc. plur.
Déterminatif : « les ». Art. déf., masc. plur., se rapporte à
« moyens ».
Propos. sujet : « qui veut la fin ».
Base de la propos. : « veut ». Verbe *vouloir*, trans. dir., voix
act., indic. prés., 3e pers. sing.
Sujet : « qui ». Pron. relat. indéf. (sans antécédent), masc.
sing.
Groupe de l'obj. dir : « la fin ».
Centre : « fin ». Nom commun, fém. sing.
Déterminatif : « la ». Art. déf., fém. sing., se rapporte
à « fin ».

EXERCICES

***172. Encadrez les subordonnées sujets et marquez-les d'un des
signes : *sub. s.* [= sujet] ; — *sub. s. r.* [= sujet réel ; dans ce
cas, marquez du signe *s. app.* le sujet apparent].**

a) 1. Il faut que chacun fasse son devoir. — 2. Il convient qu'on ait de la patience. — 3. Il n'est pas possible que je me dispense de ce travail. — 4. Il importe que vous soyez attentif. — 5. Il me déplaît que vous vous écartiez du droit chemin.

b) 1. Que l'on n'ait rien sans peine est démontré par l'expérience. — 2. Que toute hypocrisie disparaisse dans les relations sociales serait hautement souhaitable. — 3. Que l'on dise de nous beaucoup de bien, cela ne nous surprend guère. — 4. Que vous ayez plus tard des difficultés à vaincre, la chose est certaine.

c) 1. C'est un grand avantage que nous recevions ici une solide instruction. — 2. C'est une triste chose qu'un enfant n'ait plus sa mère. — 3. C'est beau quand on est maître de soi. — 4. Cela me réjouit que vous soyez revenu à la santé.

d) 1. D'où vient que tant de gens se plaignent de leur mémoire ? — 2. Qu'importe qu'on nous loue ? — 3. Vous êtes influent : de là vient qu'on vous flatte. — 4. A cela s'ajoute qu'on excuse vos fautes.

e) 1. Qui ne dit mot consent. — 2. Quiconque manque à la parole donnée perd l'estime des honnêtes gens. — 3. Qui veut voyager loin ménage sa monture. — 4. Un ivrogne devenir abstinent, cela ne se voit guère.

*173. Même exercice.

1. Que l'oisiveté nous avilisse, cela est incontestable. — 2. Il est nécessaire que vous ayez de l'ordre. — 3. C'est une loi certaine que la vie est un mélange de biens et de maux. — 4. Qui veut noyer son chien l'accuse de la rage. — 5. Qu'on accueille volontiers les éloges, le fait a été constaté bien souvent. — 6. Il est bon que l'on développe ses forces physiques.

*174. Distinguez les propositions principales et les subordonnées sujets et marquez-les des signes : *pr.* [= principale] ; — *s.* [= sujet].

Être toujours digne de l'estime d'autrui.

Il faut que nous estimions les honnêtes gens, mais il importe aussi que les honnêtes gens nous estiment. C'est rare quand un fourbe inspire longtemps le respect : qui a gravement manqué à l'honneur s'aliène la considération de son entourage. Or que l'on jouisse de l'estime de ses semblables est une satisfaction très noble. Ainsi c'est une haute obligation que vous veilliez à ne pas perdre cette estime.

*175. Ajoutez à chaque proposition principale une subordonnée sujet.

1. Il est vrai... — 2. C'est un bonheur... — 3. Qu'importe... — 4. D'où vient... — 5. Il convient. —6. Il plaît à vos parents...

Subordonnées attributs.
Subordonnées en apposition.

PRINCIPES

91. La **subordonnée attribut** peut être :

1º Une proposition introduite par la conjonction *que* et venant après des locutions formées d'un nom sujet et du verbe *être*, telles que : *mon avis est, le malheur est, la vérité est ...* :

Mon avis est | que vous avez raison.

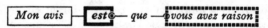

2º Une proposition introduite par un des relatifs indéfinis *qui* (au sens de *celui que*) ou *quoi* (toujours précédé d'une préposition) :

Le coupable n'est pas | qui vous croyez.
Grâce à vos parents vous êtes devenu | qui vous êtes.
C'est | à quoi je pensais.

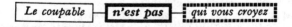

Remarque. — On peut considérer comme subordonnées *attributs* certaines propositions relatives qui, après les verbes *être, se trouver, rester...* suivis d'une indication de lieu ou de situation — ou après un verbe de perception — expriment une manière d'être du sujet ou du complément d'objet direct de la principale : *Votre ami est là* qui **attend**. — *Je le vois* **qui vient.**

92. La **subordonnée en apposition** peut être :

1º Une proposition introduite par la conjonction *que* (au sens de « à savoir que ») :

N'approuvons pas cette maxime | que la fin justifie les moyens.

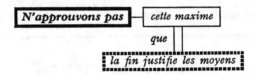

2º Une des propositions : *qui plus est, qui mieux est, qui pis est :*
Il m'a bien accueilli et, | qui plus est, | *il m'a félicité.*

Remarque. — Nous avons rangé parmi les subordonnées *sujets* (§ 89, 2º) les propositions introduites par *que* et reprises par *ce, cela, la chose, le fait...*, comme dans la phrase : **Que vous ayez fait une si belle action,** **cela** *vous honore ;* — de même (§ 89, 8º) les propositions introduites par *que, si, comme, quand, lorsque...* et annoncées par *ce, ceci, cela, ça*, comme dans la phrase : **C'**est un bien | que nous ignorions l'avenir. On pourrait aussi admettre que les propositions de ces deux catégories sont *en apposition* à *ce, cela, la chose, le fait...* ou à *ce, ceci, cela, ça.*

93. Modèles d'analyse :

1. *Mon avis est que vous avez raison.*
2. *N'approuvons pas cette maxime que la fin justifie les moyens.*
3. *Votre ami est là qui attend.*
4. *Il m'a bien accueilli et, qui plus est, il m'a félicité.*

a) *Simple distinction des propositions :*

1. **Mon avis est**: propos. principale.
   que vous avez raison : propos. subordonnée ; attribut de *avis ;* introduite par la conjonction *que.*
2. **N'approuvons pas cette maxime** : propos. principale.
   que la fin justifie les moyens : propos. subordonnée ; en apposition à *maxime ;* introduite par la conjonction *que.*
3. **Votre ami est là** : propos. principale.
   qui attend : propos. subordonnée relative ; attribut du suj. *ami ;* introduite par le pronom relatif *qui.*

4. **Il m'a bien accueilli** : propos. indépendante.
   et il m'a félicité : propos. principale, coordonnée à la précédente par la conjonction *et*.
   qui plus est : propos. subordonnée relative ; en apposition à la propos. *il m'a félicité ;* introduite par le pronom relatif *qui*.

b) Analyse complète des phrases :

1. *Mon avis est que vous avez raison.*
   Base de la phrase : « est ». Verbe copule *être*, indic. prés., 3ᵉ pers. sing.
   Groupe du sujet : « mon avis ».
   Centre : « avis ». Nom commun, masc. sing.
   Déterminatif : « mon ». Adj. poss., masc. sing., 1ʳᵉ pers., se rapporte à « avis ».
   Propos. attribut : « que vous avez raison ».
   Base de la propos. : « avez raison ». Locution verbale *avoir raison*, intrans., indic. prés., 2ᵉ pers. plur.
   Conj. de subordin. : « que », unit la propos. à la base de la phrase « est ».
   Sujet : « vous ». Pron. pers., 2ᵉ pers. masc. (ou fém.) plur.

2. *N'approuvons pas cette maxime que la fin justifie les moyens.*
   Base de la phrase : « approuvons ». Verbe *approuver*, trans. dir., voix act., impératif prés., 1ʳᵉ pers. plur.
   Complément : « ne... pas ». Adverbe de négation, se rapporte à « approuvons ».
   Groupe de l'obj. dir. : « cette maxime ».
   Centre : « maxime ». Nom commun, fém. sing.
   Déterminatif : « cette ». Adj. démonstr., fém. sing., se rapporte à « maxime ».
   Propos. en apposition : « que la fin justifie les moyens ».
   Base de la propos. : « justifie ». Verbe *justifier*, trans. dir., voix act., indic. prés., 3ᵉ pers. sing.
   Conj. de subordin. : « que », unit la propos. à la base de la phrase « approuvons ».
   Groupe du sujet : « la fin ».
   Centre : « fin ». Nom commun, fém. sing.
   Déterminatif : « la ». Art. déf., fém. sing., se rapporte à « fin ».
   Groupe de l'obj. dir. : « les moyens ».

Centre : « moyens ». Nom commun, masc. plur.
Déterminatif : «les». Art. déf., masc. plur., se rapp. à «moyens».

3. *Votre ami est là qui attend.*

Base de la phrase : « est ». Verbe *être*, intrans., indic. prés., 3e pers. sing.
  Groupe du sujet : « votre ami ».
  Centre : « ami ». Nom commun, masc. sing.
  Déterminatif : « votre ». Adj. poss., masc. sing., 2e pers., se rapporte à « ami ».
Compl. circ. de lieu : « là ». Adv. de lieu, se rapp. à la base «est».
Propos. attribut : « qui attend ».
  Base de la propos. : « attend ». Verbe *attendre*, intrans., indic. prés., 3e pers. sing.
  Sujet : « qui ». Pron. relat., antécédent *ami*, masc. sing.

4. *Il m'a bien accueilli et, qui plus est, il m'a félicité.*

Base de la phrase : « a accueilli ». Verbe *accueillir*, trans. dir., voix act., indic. passé composé, 3e pers. sing.
Sujet : « il ». Pron. pers., 3e pers., masc. sing.
Obj. dir. : « m' ». Pron. pers., 1re pers., masc. sing.
Compl. circ. de manière : « bien ». Adverbe de manière, se rapp. à la base de la phr. « a accueilli ».
Propos. coordonnée : « et il m'a félicité ».
Base de la propos. : « a félicité ». Verbe *féliciter*, trans. dir., voix act., indic. passé composé, 3e pers. sing.
Conj. de coordin. : « et », unit la propos. à la propos. « il m'a bien accueilli ».
Sujet : « il ». Pron. pers., 3e pers. sing., masc. sing.
Obj. dir. : « m' ». Pron. pers., 1re pers. sing.
Propos. en apposition : « qui plus est ».
  Base de la propos. : « est ». Verbe copule *être*, indic. prés., 3e pers. sing.
  Sujet : « qui ». Pron. relat., antécédent « il m'a félicité », neutre sing.
  Attribut du suj. : « plus ». Adverbe de quantité employé substantivement.

EXERCICES

*176. Encadrez les subordonnées attributs et marquez-les du signe sub. attr.

1. Certaines gens se croient des aigles ; souvent la vérité est qu'ils sont des esprits médiocres. — 2. Cet homme a fait des projets mirifiques ; le malheur est qu'il hasarde le bien de sa femme et de ses enfants. — 3. Mon professeur m'a encouragé ; son avis est que de nouveaux efforts sont nécessaires de ma part. — 4. Décidément le printemps est là : la preuve en est que la première hirondelle vient de passer devant ma fenêtre. — 5. Parfois dans une assemblée le plus sage n'est pas qui on croirait.

*177. Remplacez les points par une subordonnée attribut :

1. Mon opinion est... — 2. Il a d'excellentes intentions ; le malheur est... — 3. Il se dit très instruit ; la vérité est... — 4. Mon sentiment est... — 5. Cet homme gagne bien sa vie ; le mal est...

*178. Encadrez les subordonnées en apposition et marquez-les du signe sub. app.

1. Nul ne contestera ce principe que le chef doit commander. — 2. Certaines gens justifient leurs fautes par la maxime que nécessité ne connaît pas de loi. — 3. Ayez cette conviction que votre avenir est entre vos mains. — 4. Il est paresseux et, qui pis est, malhonnête.

*179. Distinguez les subordonnées attributs et les subordonnées en apposition et marquez-les chacune du signe abréviatif approprié.

1. Ma conviction est que tout délai aggraverait le péril. — 2. Cet employé est instruit et, qui mieux est, il est d'une parfaite honnêteté. — 3. Vous jouissez de cet avantage que vos parents prévoient pour vous l'avenir. — 4. Ces personnes ne sont pas qui vous croiriez : je les ai vues qui mendiaient. — 5. Serez-vous toujours qui vous êtes ? — 6. Les curieux étaient là, qui regardaient, immobiles.

*180. Faites l'analyse des phrases suivantes :

1. Il est bon que nous nous rappelions ce dicton que la persévérance vient à bout de tout. — 2. C'est étrange comme la forêt s'emplit de murmures au lever du soleil. — 3. Vous manquez d'ordre, vous gaspillez votre temps : le résultat sera, je le crains, que vous serez refusé à l'examen. — 4. L'adversité a ceci de bon qu'elle peut nous aider à tremper notre caractère.

Subordonnées
compléments d'objet (directs ou indirects).

PRINCIPES

94. La **subordonnée complément d'objet** (direct ou indi-rect) peut être :

1º Une proposition introduite par la conjonction *que* (parfois *ce que* ou *de ce que*) :

> *L'expérience prouve* | que le travail ennoblit.
> *Je ne doute pas* | que le travail n'ennoblisse.
> *Il s'attend* | à ce que je revienne.
> *Il s'étonne* | de ce qu'il ne soit pas venu.

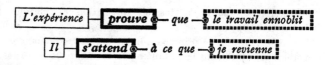

2º Une proposition introduite par un des relatifs indéfinis *qui* ou *quiconque* :

> *Aimez* | qui vous aime.
> *On pardonne volontiers* | à qui se repent.
> *Il aide* | quiconque le sollicite.

3º Une proposition introduite par un *mot interrogatif*: *si, qui, quel, quand...*, dans l'interrogation indirecte :

> *Dis-moi* | qui tu es.
> *Je demande* | quand vous partez.
> *Je m'informe* | si cet homme est honnête.

4º Une proposition *infinitive* (avec son sujet propre) ; elle ne se rattache à la proposition principale par aucun mot subor-donnant :

> *J'entends* | les oiseaux chanter. — *Je sens* | battre mon cœur.

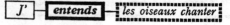

Remarques. — 1. Il importe de bien observer qu'on n'a une **proposition infinitive** complément d'objet que si l'infinitif a un *sujet propre* (parfois non exprimé), qui est donc un mot *autre* que le sujet du verbe principal : ce verbe principal est un verbe de perception : *apercevoir, écouter, entendre, ouïr, regarder, sentir, voir* — ou encore *faire* ou *laisser*. Ainsi on se gardera de prendre pour une proposition infinitive le simple infinitif complément :

> *J'entends* | les oiseaux chanter [propos. infinitive].
> *J'entends* | parler là-bas [propos. infinitive].
> *Je* me *laisse* tomber [prop. infinitive].
> *J'espère réussir* [*réussir* = infinitif complément d'objet direct].

2. On peut avoir une proposition infinitive après le présentatif *voici* (qui signifie *vois ici*), surtout avec l'infinitif *venir : Voici* | venir la nuit.

95. Modèles d'analyse :

1. *L'expérience prouve que le travail ennoblit.*
2. *On pardonne volontiers à qui se repent.*
3. *Je demande quand vous partez.*
4. *J'entends les oiseaux chanter.*
5. *Je me laisse tomber.*

a) Simple distinction des propositions :

1. **L'expérience prouve** : propos. principale.
   que le travail ennoblit : propos. subordonnée ; complément d'objet direct de *prouve ;* introduite par la conjonction *que*.

2. **On pardonne volontiers** : propos. principale.
   à qui se repent : propos. subordonnée ; complément d'objet indirect de *pardonne ;* introduite par le pronom relatif indéfini *qui* précédé de la préposition *à*.

3. **Je demande** : propos. principale.
   quand vous partez : propos. subordonnée ; complément d'objet direct de *demande ;* introduite par l'adverbe interrogatif *quand*.

4. **J'entends** : propos. principale.
   les oiseaux chanter : propos. subordonnée infinitive ; complément d'objet direct de *entends*.

5. **Je laisse** : propos. principale.
   me tomber : propos. subordonnée infinitive ; complément d'objet direct de *laisse*.

b) Analyse complète des phrases:

1. *L'expérience prouve que le travail ennoblit.*

Base de la phrase : « prouve ». Verbe *prouver*, trans. dir., voix active, indic. prés., 3ᵉ pers. sing.

  Groupe du sujet : « l'expérience ».

    Centre : « expérience ». Nom commun, fém. sing.

    Déterminatif : « l' ». Art. déf. élidé, fém. sing., se rapporte à « expérience ».

  Propos. obj. direct : que le travail ennoblit ».

    Base de la propos. : « ennoblit ». Verbe *ennoblir*, intrans., indic. prés., 3ᵉ pers. sing.

    Conj. de subordin. : « que », unit la propos. à la base de la phrase « prouve ».

    Groupe du sujet : « le travail ».

      Centre : « travail ». Nom commun, masc. sing.

      Déterminatif : « le ». Art. déf., masc. sing., se rapporte à « travail ».

2. *On pardonne volontiers à qui se repent.*

Base de la phrase : « pardonne ». Verbe *pardonner*, intrans., indic. prés., 3ᵉ pers. sing.

  Sujet : « on ». Pron. indéf., 3ᵉ pers., masc. sing.

  Compl. circ. de manière : « volontiers ». Adv. de manière, se rapp. à la base de la phr. « pardonne ».

  Propos. obj. indir. : « à qui se repent ».

    Base de la propos. : « se repent ». Verbe *se repentir*, pronominal, intrans., indic. prés., 3ᵉ pers. sing.

    Sujet : « qui ». Pron. relat. indéf. (sans antécédent), masc. sing.

    Préposition : « à », unit la propos. obj. indir. à la base de la phrase « pardonne ».

3. *Je demande quand vous partez.*

Base de la phrase : « demande ». Verbe *demander*, trans. dir. voix act., indic. prés., 1ʳᵉ pers. sing.

  Sujet : « je ». Pron. pers., 1ʳᵉ pers., masc. (ou fém.) sing.

  Propos. obj. dir. : « quand vous partez ».

    Base de la propos. : « partez ». Verbe *partir*, intrans., indic. prés., 2ᵉ pers. plur.

Conj. de subordin. : « quand », unit la propos. à la base de
la phrase « demande ».
Sujet : « vous ». Pron. pers., 2ᵉ pers. masc. (ou fém.) plur.

4. *J'entends les oiseaux chanter.*

Base de la phrase : « entends ». Verbe *entendre*, trans. dir., voix
act., indic. prés., 1ʳᵉ pers. sing.
Sujet : « j' ». Pron. pers., 1ʳᵉ pers., masc. (ou fém.) sing.
Propos. obj. dir. : « les oiseaux chanter ».
Base de la propos. : « chanter ». Verbe *chanter*, intrans., infin.
prés.
Groupe du sujet : « les oiseaux »
Centre : « oiseaux » Nom commun, masc. plur.
Déterminatif : « les ». Art. déf., masc. plur., se rapporte à
« oiseaux ».

5. *Je me laisse tomber.*

Base de la phrase : laisse ». Verbe *laisser*, trans. dir., voix act.,
indic. prés., 1ʳᵉ pers. sing.
Sujet : « je ». Pron. pers., 1ʳᵉ pers. masc. (ou fém.)sing.
Propos. obj. dir. : « me tomber ».
Base de la propos. : « tomber ». Verbe *tomber*, intrans., infin.
prés.
Sujet : « me ». Pron. pers., masc. (ou fém.) sing.

EXERCICES

*181. Analysez les phrases suivantes :
1. Un proverbe dit qu'une hirondelle ne fait pas le printemps. —
2. La science nous enseigne que la lumière parcourt 300 000 kilomètres par seconde. — 3. Nos maîtres nous répètent sans cesse
que le travail est la meilleure garantie du succès. — 4. Le vaniteux
s'imagine que tout le monde l'admire.

*182. Même exercice.
1. Cherchez qui vous comprenne ! — 2. Dites-moi si vous aimez
la musique. — 3. Nous écoutons volontiers quiconque parle de nos
qualités et nous croyons fort aisément que nos défauts sont très
menus. — 4. Nul homme ne sait exactement quel sera l'avenir.

*183. Encadrez les subordonnées compléments d'objet indirects et marquez-les du signe *sub. c. o. ind.*

1. Je doute que la richesse fasse le bonheur. — 2. Le sage ne s'attend pas à ce que les difficultés se résolvent toutes seules. — 3. L'homme énergique se convainc que la volonté vient à bout de tout. — 4. Vos parents se plaignent de ce que vous êtes négligent. — 5. Un bon fils se souviendra toujours qu'il doit à sa mère des bienfaits inappréciables. — 6. Prenez garde que l'aise et l'abondance ne tarissent en vous les sources de la compassion.

*184. Encadrez les propositions infinitives compléments d'objet directs et marquez-les du signe *prop. inf. c. o. dir.*

1. On entend le vent gémir dans les branches. — 2. Je vois la première étoile clignoter là-haut. — 3. A la vue d'une telle misère, je sens mon cœur se serrer. — 4. Laissez venir à moi les petits enfants, disait le Christ. — 5. J'écoute chanter en moi la voix des souvenirs. — 6. Il se sent défaillir, mais il veut résister.

*185. Encadrez les subordonnées compléments d'objet (directs ou indirects) et marquez-les du signe approprié :

1. N'oublions pas que nos actes nous suivent. — 2. Le philosophe ne s'étonne pas que les événements ne se conforment pas à ses désirs. — 3. Avant d'engager un collaborateur, informez-vous s'il est honnête et compétent. — 4. On récompensera qui l'aura mérité. — 5. J'entends sonner dans la vallée les cloches du dimanche. — 6. La justice veut que le bien soit récompensé et que le mal soit puni. — 7. Voici venir la saison des frimas.

*186. Remplacez les points par une subordonnée complément d'objet :

1. Un vrai chef exige... — 2. Nos parents souhaitent... — 3. Rappelez-vous toujours... — 4. On ne croit plus qui... — 5. Je vous demande si... — 6. Nous accordons volontiers notre confiance à quiconque...

*187. Faites l'analyse des phrases du texte suivant :

Les Sports.

Certains grincheux prétendent que les sports sont nuisibles ; d'autres s'étonnent de ce que tant de jeunes gens s'y adonnent. Ces grincheux ont tort. L'expérience démontre que les sports sont utiles et bienfaisants ; la sagesse toutefois exige que les sports soient modérés. Vous voyez des athlètes déployer harmonieusement leur force physique : vous pensez avec raison que cette force physique est un bien en soi et qu'une âme noble, dans un corps vigoureux, peut accomplir de grandes choses.

RÉCAPITULATION

*188. Faites l'analyse des phrases du texte suivant :

Il faut qu'on initie les enfants à la pitié. Les malheureux souffrent et se plaignent qu'on les délaisse. Soulageons quiconque souffre, dira l'éducateur ; souffrons avec lui et n'oublions pas cette grande vérité que nous sommes tous frères ici-bas.

Subordonnées compléments circonstanciels de temps, de cause, de but, de conséquence.

PRINCIPES

96. Temps. — Les principales conjonctions ou locutions conjonctives introduisant les subordonnées compléments circonstanciels de temps sont :

alors que	chaque fois que	lorsque
à peine... que	comme	maintenant que
après que	depuis que	pendant que
au moment où	dès que	quand
aussi longtemps que	en attendant que	tandis que
aussitôt que (sitôt que)	en même temps que	toutes les fois que
avant que	jusqu'à ce que	une fois que

Les oiseaux chantent | **quand le soleil se lève.**

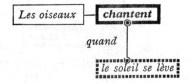

97. Cause. — Les principales conjonctions ou locutions conjonctives introduisant les subordonnées compléments circonstanciels de cause sont : *attendu que, comme, étant donné que, parce que, puisque, vu que, sous prétexte que :*
Nous tiendrons nos promesses, | parce que l'honneur le commande.

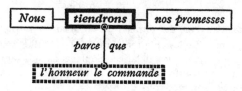

98. But. — Les locutions conjonctives servant à introduire une subordonnée complément circonstanciel de but sont : *afin que, pour que, de crainte que, de peur que :*
Honore tes parents, | afin que tu vives longtemps.

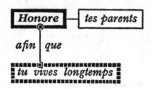

99. Conséquence. — La subordonnée complément circonstanciel de conséquence peut être introduite :

1º Par la conjonction *que,* corrélative de *si, tant, tel, tellement, de telle façon, de telle manière, de telle sorte, à ce point :*
Il travaille tant | qu'il s'épuise.

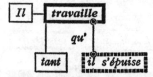

2º Par une des locutions conjonctives *au point que, de façon que, de manière que, en sorte que, de sorte que, si bien que :*
Conduis-toi | de façon qu'on n'ait rien de grave à te reprocher.

3° Par la locution conjonctive *pour que,* corrélative de *assez, trop, trop peu, suffisamment :*

Il a été trop honnête | **pour que je me défie de lui.**

100. Remarques. — 1. Au lieu de *répéter* la conjonction ou la locution conjonctive introductrice (excepté *au moment où*) dans une suite de subordonnées compléments circonstanciels de temps, de cause, de but ou de conséquence, on peut la remplacer par *que :*

Quand le soleil se lève | *et* que *la forêt s'éveille, les oiseaux chantent.*

Nous tiendrons nos promesses, | *parce que l'honneur le commande* | *et* que *la simple honnêteté le veut.*

Honore tes parents | *afin que tu vives longtemps* | *et* que *le Seigneur te bénisse.*

Conduis-toi | *de façon qu'on n'ait rien à te reprocher* | *et* qu'on *puisse toujours suivre ton exemple.*

2. *Que* employé seul introduit parfois une subordonnée complément circonstanciel de cause (marquant la cause de la demande ou de l'exclamation), de but ou de conséquence :

Comme il dort, | qu'*il faut le secouer si rudement !*

Ote-toi de là, | que *je m'y mette,* | *dit l'égoïste.*

Il dépérissait | que *c'était une pitié.*

101. Modèles d'analyse :

1. *Les oiseaux chantent quand le soleil se lève.*
2. *Nous tiendrons nos promesses, parce que l'honneur le commande.*
3. *Honore tes parents, afin que tu vives longtemps.*
4. *Il travaille tant qu'il s'épuise.*
5. *Ote-toi de là, dit l'égoïste, que je m'y mette.*

a) *Simple distinction des propositions :*

1. **Les oiseaux chantent** : propos. principale.

   quand le soleil se lève : propos. subordonnée ; complément circonstanciel de temps de *chantent ;* introduite par la conjonction *quand.*

2. **Nous tiendrons nos promesses** : propos. principale.

   parce que l'honneur le commande : propos. subordonnée ; complément circonstanciel de cause de *tiendrons ;* introduite par la locution conjonctive *parce que.*

3. **Honore tes parents** : propos. principale.

   afin que tu vives longtemps : propos. subordonnée ; complé-

ment circ. de but de *honore ;* introduite par la loc. conj. *afin que.*
4. **Il travaile tant :** propos. principale.

qu'il s'épuise : propos. subordonnée ; complément circonstanciel de conséquence de *travaille ;* introduite par la conj. *que.*
5. **Ote-toi de là :** propos. principale.

dit l'égoïste : propos. indépendante, incidente.

que je m'y mette : propos. subordonnée ; complément circonstanciel de but de *ôte ;* introduite par la conjonction *que.*

b) Analyse complète des phrases :

1. *Les oiseaux chantent quand le soleil se lève.*

    Base de la phrase : « chantent ». Verbe *chanter*, intrans., indic. prés., 3ᵉ pers. plur.

    Groupe du sujet : « les oiseaux ».
    Centre : « oiseaux ». Nom commun, masc. plur.
    Déterminatif : « les ». Art. déf., masc. plur., se rapporte à « oiseaux ».

    Propos. compl. circ. de temps : « quand le soleil se lève ».
    Base de la propos. : « se lève ». Verbe *se lever*, pronominal, intrans., indic. prés., 3ᵉ pers. sing.
    Conj. de subordin. : « quand », unit la propos. à la base de la phrase « chantent ».
    Groupe du sujet : « le soleil ».
    Centre : « soleil ». Nom commun, masc. sing.
    Déterminatif : « le ». Art. déf., masc. sing., se rapporte à « soleil ».

2. *Nous tiendrons nos promesses, parce que l'honneur le commande.*

    Base de la phrase : « tiendrons ». Verbe *tenir*, trans. dir., voix act., indic. fut. simple, 1ʳᵉ pers. plur.

    Sujet : « nous ». Pron. pers., 1ʳᵉ pers., masc. (ou fém. plur.)
    Groupe de l'objet dir. : « nos promesses ».
    Centre : « promesses ». Nom commun, fém. plur.
    Déterminatif : « nos ». Adj. poss., fém. plur., 1ʳᵉ pers., se rapporte à « promesses ».
    Propos. compl. circ. de cause : « parce que l'honneur le commande ».

Base de la propos. : « commande ». Verbe *commander*, trans. dir. ; voix act. ; indic. prés., 3ᵉ pers. sing.

Conj. de subordin. : *parce que*, unit la propos. à la base de la phrase « tiendrons ».

Groupe du sujet : « l'honneur ».

Centre : « honneur ». Nom commun, masc. sing.

Déterminatif : « l' ». Art. déf. élidé, masc. sing., se rapporte à « honneur ».

Objet dir. : « le ». Pron. pers., 3ᵉ pers., neutre sing.

3. *Honore tes parents, afin que tu vives longtemps.*

Base de la phrase : « honore ». Verbe *honorer*, trans. dir., voix act., impérat. prés., 2ᵉ pers. sing.

Groupe de l'obj. direct : « tes parents ».

Centre : « parents ». Nom commun, masc. plur.

Déterminatif : « tes ». Adj. poss., masc. plur., 2ᵉ pers., masc. (ou fém.) plur., se rapporte à « parents ».

Propos. compl. circ. de but : « afin que tu vives longtemps ».

Base de la propos. : « vives ». Verbe *vivre*, intrans., subj. prés., 2ᵉ pers. sing.

Conj. de subordin. : « afin que », unit la propos. à la base de la phrase « honore ».

Sujet : « tu ». Pron. per., 2ᵉ pers., masc. (ou fém.) sing.

Compl. circ. de temps : « longtemps ». Adv. de temps ; se rapp. à la base de la propos. « vives ».

4. *Il travaille tant qu'il s'épuise.*

Base de la phrase : « travaille ». Verbe *travailler*, intrans., indic. prés., 3ᵉ pers. sing.

Sujet : « il ». Pron. pers., 3ᵉ pers., masc. sing.

Compl. circ. de manière : « tant ». Adv. d'intensité ; se rapp. à la base de la phrase « travaille ».

Propos. compl. circ. de conséquence : « qu'il s'épuise ».

Base de la propos. : « épuise ». Verbe *épuiser*, trans. dir., voix act., indic. prés., 3ᵉ pers. sing.

Conj. de subordin. : « que », unit la propos. à la base de la phrase « travaille ».

Sujet : « il ». Pron. pers., 3ᵉ per., masc. sing.

Objet dir. : « s' ». Pron. pers. réfléchi, 3ᵉ pers., masc. sing.

5. *Ote-toi de là, dit l'égoïste, que je m'y mette.*

Base de la phrase : « ôte ». Verbe *ôter*, trans. dir., voix act., impérat. prés., 2e pers. sing.

Objet dir. : « toi ». Pron. pers., 2e pers. masc. (ou fém.) sing.

Groupe du compl. circ. de lieu : « de là ».

 Centre : « là ». Adv. de lieu.

 Préposition : « de », unit le centre du compl. circ. de lieu à la base de la phrase « ôte ».

Propos. incidente : « dit l'égoïste ».

 Base de la propos. : « dit ». Verbe *dire*, trans. dir., voix act. indic. prés., 3e pers. sing.

 Groupe du sujet : « l'égoïste ».

  Centre : « égoïste ». Nom commun, masc. sing.

  Déterminatif : « l' ». Art. déf. élidé, masc. sing., se rapporte à « égoïste ».

Propos. compl. circ. de but : « que je m'y mette ».

 Base de la propos. : « mettre ». Verbe *mettre*, trans. dir., voix act., subj. prés., 1re pers. sing.

 Conj. de subordin. : « que », unit la propos. à la base de la phrase « ôte ».

 Sujet : « je ». Pron. pers., 1re pers. masc. (ou fém.) sing.

 Objet dir. : « m' ». Pron. pers., 1re pers. masc. (ou fém.) sing.

 Compl. circ. de lieu : « y ». Adv. de lieu, se rapp. à « mette ».

EXERCICES

*189. Encadrez les subordonnées compléments circonstanciels de temps et marquez-les du signe *sub. c. circ. temps.*

1. Résistez au mal dès qu'il se manifeste. — 2. Quand les chats sont partis, les souris dansent. — 3. Tout chante et rit lorsque revient le gai printemps. — 4. Une volonté énergique renouvelle ses efforts jusqu'à ce qu'elle arrive au succès. — 5. Avant que le coq chante, tu me renieras trois fois.

*190. Encadrez les subordonnées compléments circonstanciels de cause et marquez-les du signe *sub. c. circ. cause.*

1. Vous direz toujours la vérité parce que le devoir le veut. — 2. Comme vous n'avez que peu d'expérience, vous suivrez les con-

seils de vos parents. — 3. Puisqu'on devient malade, et qu'on meurt, il faut des médecins. — 4. Étant donné que cet homme se repent, on lui pardonnera. — 5. Il ne doit pas entreprendre un si long voyage, vu qu'il relève de maladie et qu'il est très faible.

*191. Encadrez les subordonnées compléments circonstanciels de but et marquez-les du signe *sub. c. circ. but.*

1. Certaines gens font la charité afin qu'on les voie : leur charité est vaine. — 2. Votre mère se sacrifierait pour que rien ne manque à votre bonheur. — 3. Ne jouez pas avec le feu, de crainte qu'il ne vous brûle. — 4. L'avare enfouit son trésor de peur qu'on ne le lui dérobe. — 5. Approchez, que je vous voie mieux.

*192. Encadrez les subordonnées compléments circonstanciels de conséquence et marquez-les du signe *sub. c. circ. cons.*

1. La vertu est si belle qu'on ne peut pas ne pas l'aimer. — 2. La cruche va tant à l'eau qu'à la fin elle se brise. — 3. Marchez dans les chemins de l'honneur, de telle sorte que jamais vous ne vous perdiez dans les sentiers du mal. — 4. Que jamais les magistrats n'aient à ce point l'amour des honneurs qu'ils perdent l'amour de la justice. — 5. Une pluie diluvienne tomba toute la journée, si bien que nous dûmes retarder notre départ.

*193. Encadrez les subordonnées compléments circonstanciels de temps, de cause, de but de conséquence et marquez-les chacune du signe approprié.

1. Lorsque Dieu forma le cœur de l'homme, il y mit premièrement la bonté. — 2. N'achetez pas le superflu, de peur que vous ne deviez vendre le nécessaire. — 3. Quand les Aduatiques virent les tours construites par les Romains pour attaquer leur forteresse, ils se mirent à rire. — 4. Nous nous faisons de nous une idée si avantageuse que la moindre critique de nos actes nous blesse. — 5. Nous goûtons un bonheur intime après que nous avons accompli un acte de dévouement. — 6. Nous vivrons de telle sorte que le remords ne vienne pas accabler notre vieillesse. — 7. Comme il n'y a guère de mots équivalant exactement l'un à l'autre, cherchez toujours le mot propre. — 8. Bienheureux les pacifiques, parce qu'ils seront appelés enfants de Dieu.

*194. Même exercice.

Rentrée du chariot à la ferme.

Avant que la nuit tombe, le chariot va s'ébranler pour le retour et, comme le soleil descend déjà à l'horizon, chacun se hâte pour que le chargement s'achève. Les gerbes sont réparties de façon que l'équilibre soit parfait. Dès que le travail est terminé, le chariot s'avance ; maintenant qu'il approche de la ferme, il accélère un peu son allure. Quelle richesse ! Les gerbes lui débordent tellement des flancs qu'on ne voit plus ses roues. Quand il chemine lourdement dans la douceur du soir, le chariot est si beau que je m'arrête pour le contempler. Je monte sur le talus afin que rien du spectacle n'échappe à mon regard.

Subordonnées compléments circonstanciels d'opposition, - de condition.

PRINCIPES

102. Opposition. — Les principales conjonctions ou locutions conjonctives introduisant les subordonnées compléments circonstanciels d'opposition sont :

au lieu que	malgré que	quel que	quoi que
bien que	pour... que	quelque... que	si... que
encore que	quoique	quelque... qui	tout... que
loin que	où que	qui que	

Il garde l'espérance, | **bien qu'il soit malheureux.**
Gardons l'espérance, | **quels que soient nos malheurs.**

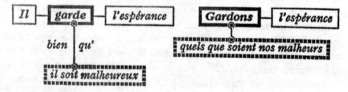

N. B. — 1. Comme elles unissent une subordonnée à une principale, les locutions *où que, quel que, quelque... que, quelque... qui, qui que, quoi que, si... que, tout... que*, ont, si on les considère globalement, la valeur de locutions conjonctives. Dans l'analyse des mots de la subordonnée, chacune de ces locutions pourra être regardée comme un gallicisme, unissant à la base de la phrase la proposition complément circonstanciel d'opposition [1].

2. Certaines conjonctions ou locutions conjonctives, qui servent ordinairement à introduire une subordonnée complément circonstanciel de **temps** ou de **supposition**, peuvent servir aussi à introduire une subordonnée complément circonstanciel d'**opposition** : *alors que, alors même que, lors même que, si, même si, quand, quand même, quand bien même, tandis que* :

> *Le travail ennoblit,* | **alors que l'oisiveté avilit.**
>
> **Si la parole est d'argent,** | *le silence est d'or.*
>
> **Quand vous le jureriez,** | *on ne vous croirait pas.*

103. Condition (supposition). — Les principales conjonctions ou locutions conjonctives servant à introduire les subordonnées compléments circonstanciels de condition (ou de supposition) sont :

si	à moins que	pourvu que
que si	au cas où	soit que... soit que
à condition que	dans le cas où	soit que... ou que
à la condition que	dans l'hypothèse où	supposé que
sous condition que	en admettant que	à supposer que
sous la condition que	pour peu que	

> *Si tu sèmes le vent,* | **tu récolteras la tempête.**
>
> *On lui pardonnera,* | **pourvu qu'il fasse sa soumission.**
>
> **Au cas où une complication se produirait,** | *vous me rappellerez.*

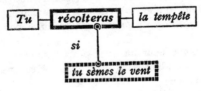

104. Remarques. — 1. Au lieu de répéter la conjonction ou la locution conjonctive introductrice (excepté les locutions comprenant *où*)

---

1. Opinion du *Code de Terminologie grammaticale* du Ministère belge de l'Instruction publique (édit. revue, 1957).

dans une suite de subordonnées compléments circonstanciels de condition, on peut la remplacer par *que* :

Si tu travailles | *et* **que** *tu persévères,* | *tu réussiras.*

Tu parviendras au succès, | *à condition que tu travailles* | *et* **que** *tu persévères.*

2. La concession ou la condition sont parfois exprimées par une proposition indépendante (ou principale) juxtaposée (ou coordonnée) à une autre proposition indépendante (ou principale) :

Que la richesse soit séduisante : | *elle n'en est pas moins impuissante à nous rendre heureux.*

Qu'un inconnu flatte nos manies : | *nous le prenons pour un ami.*

On m'offrirait cette place, | *je la refuserais.*

Fussiez-vous très riche ou très puissant, | *vous n'êtes qu'un homme.*

105. Modèles d'analyse :

1. *Quelles que soient les difficultés, je ne perds pas courage.*
2. *Si tu achètes le superflu, tu vendras bientôt le nécessaire.*
3. *Qu'un inconnu flatte nos manies, nous le prenons pour un ami.*
4. *On m'offrirait cette place, je la refuserais.*

a) Simple distinction des propositions :

1. **Quelles que soient les difficultés :** propos. subordonnée ; complément circonstanciel d'opposition de *perds ;* introduite par la locution conjonctive *quelles que.*

je ne perds pas courage : propos. principale.

2. **Si tu achètes le superflu :** propos. subordonnée ; complément circonstanciel de supposition de *vendras ;* introduite par la conjonction *si.*

tu vendras bientôt le nécessaire : propos. principale.

3. **Qu'un inconnu flatte nos manies :** propos. indépendante, ayant la valeur d'une subordonnée complément circonstanciel de supposition de *prenons ;* introduite par la conjonction *que.*

nous le prenons pour un ami : propos. indépendante (principale si l'on considère dans la propos. précédente sa valeur de subordonnée).

4. **On m'offrirait cette place :** propos. indépendante, ayant la valeur d'une subordonnée complément circonstanciel de supposition de *refuserais.*

je la refuserais : propos. indépendante (principale si l'on considère dans la propos. précédente sa valeur de subordonnée).

b) *Analyse complète des phrases :*

1. *Quelles que soient les difficultés, je ne perds pas courage.*

Base de la phrase : « perds courage ». Locut. verbale *perdre courage,* indic. prés., 1re pers. sing.

Sujet : « je ». Pron. pers., 1re pers., masc. (ou fém.) sing.

Complément : « ne... pas ». Adv. de négation ; se rapporte à la base de la phrase « perds courage ».

Propos. compl. circ. d'opposition : « quelles que soient les difficultés ».

  Base de la proposit. : « soient ». Verbe copule *être,* subj. prés., 3e pers. plur.

  Locut. conjonct. de subordin. : « quelles que », unit la propos. à la base de la phrase « perds courage ». En décomposant la locution, on voit que « quelles » est attribut du sujet « les difficultés ».

  Groupe du sujet : « les difficultés ».

    Centre : « difficultés ». Nom commun, fém. plur.

    Déterminatif : « les ». Art. déf., fém. plur., se rapporte à « difficultés ».

2. *Si tu achètes le superflu, tu vendras bientôt le nécessaire.*

Base de la phrase : « vendras ». Verbe *vendre,* trans. dir., voix act., indic. fut. simple, 2e pers. sing.

Sujet : « tu ». Pron. pers., 2e pers., masc. (ou fém.) sing.

Groupe de l'obj. dir. : « le nécessaire ».

  Centre : « nécessaire ». Nom commun, masc. sing.

  Déterminatif : « le ». Art. déf., se rapporte à « nécessaire ».

Complém. circ. de temps : « bientôt ». Adv. de temps, se rapporte à la base de la phrase « vendras ».

Propos. compl. circ. de supposition : « si tu achètes le superflu ».

  Base de la propos. : « achètes ». Verbe *acheter,* trans. dir., voix act., indic. prés., 2e pers. sing.

  Conj. de subordin. : « si », unit la propos. à la base de la phrase « vendras ».

  Sujet : « tu ». Pron. pers., 2e pers. masc. (ou fém.) sing.

  Groupe de l'obj. dir. : « le superflu ».

Centre : « superflu ». Nom commun, masc. sing.

Déterminatif : « le ». Art. déf., se rapporte à « superflu ».

3. *Qu'un inconnu flatte nos manies, nous le prenons pour un ami.*

Base de la phrase : « prenons ». Verbe *prendre*, trans. dir., voix act., indic. prés., 1ʳᵉ pers. sing.

Sujet : « nous ». Pron. pers., 1ʳᵉ pers. masc. (ou fém.) plur.

Groupe de l'obj. dir. : « le pour un ami ».

Centre : « le ». Pron. pers. 3ᵉ pers., masc. (ou fém.) sing., remplace « inconnu ».

Groupe de l'attribut de l'obj. dir. : « pour un ami ».

Centre : « ami ». Nom commun, masc. sing.

Déterminatif : « un ». Article indéf., masc. sing., se rapporte à « ami ».

Préposition vide : « pour », unit l'attrib. « un ami » à l'obj. dir. « le ».

Propos. compl. circ. de supposition : « qu'un inconnu flatte nos manies ».

Base de la propos. : « flatte ». Verbe *flatter*, trans. dir., voix act., subj. prés., 3ᵉ pers. sing.

Conj. de subordin. : « que », unit la propos. à la base de la phrase « prenons ».

Groupe du sujet : « un inconnu ».

Centre : « inconnu ». Nom commun, masc. sing.

Déterminatif : « un ». Art. indéf., masc. sing., se rapporte à « inconnu ».

Groupe de l'obj. dir. : « nos manies ».

Centre : « manies ». Nom commun, fém. plur.

Déterminatif : « nos ». Adj. poss., 1ʳᵉ pers. fém. plur., se rapporte à « manies ».

4. *On m'offrirait cette place, je la refuserais.*

Base de la phrase : « refuserais ». Verbe *refuser*, trans. dir., voix act., conditionnel prés., 1ʳᵉ pers. sing.

Sujet : « je ». Pron. pers., 1ʳᵉ pers. masc. (ou fém.) sing.

Objet dir. : « la ». Pron. pers., 3ᵉ pers. fém. sing., remplace « place ».

Propos. compl. circ. de supposition : « on m'offrirait cette place ».

Base de la propos. : « offrirait ». Verbe *offrir*, trans. dir.,
voix act., conditionnel prés., 3e pers. sing.
Sujet : « on ». Pron. indéf., masc. sing.
Groupe de l'obj. dir. : « cette place ».
   Centre : « place ». Nom commun, fém. sing.
   Déterminatif : « cette ». Adj. démonstr., fém. sing., se rap-
porte à « place ».
Obj. indir. : « m' ». Pron. pers., 1re pers. masc. (ou fém.)
sing.

EXERCICES

***195. Encadrez les subordonnées compléments circonstanciels
d'opposition et marquez-les du signe *sub. c. c. opp.***

1. Bien qu'il soit en butte à toutes sortes de difficultés, le sage
garde une âme sereine. — 2. Quoi que vous fassiez, faites-le avec
soin. — 3. Si mince qu'il soit, un cheveu fait de l'ombre. —
4. Quelques grandes richesses qu'un homme possède, il n'est jamais
qu'un homme. — 5. Toute séduisante qu'elle est, la flatterie nous
empêche de reconnaître notre vraie valeur. — 6. Où que vous
soyez, conduisez-vous en gens d'honneur. — 7. Quels que soient
vos mérites, restez modestes.

***196. Changez la construction des phrases suivantes, de telle façon
que chacune d'elles contienne une subordonnée complément circonstanciel d'opposition :**

1. Nous convenons de notre inexpérience ; cependant nous négli-
geons de suivre les bons conseils (employer *bien que*). — 2. Le
vieillard de la fable était octogénaire ; il plantait néanmoins un
arbre (employer *tout ... que*). — 3. Votre position est humble,
mais vous l'honorerez par vos mérites (employer *quoique*). — 4. Vos
qualités sont nombreuses ; malgré cela, ne vous enorgueillissez pas
(employer *quelque ... que*). — 5. L'orgueilleux sera abaissé, l'homme
humble au contraire sera élevé (employer *tandis que*).

***197. Encadrez les subordonnées compléments circonstanciels de
condition (ou de supposition) et marquez-les du signe *sub. c. c.
cond.* (ou *supp.*).**

1. Si tu sèmes le vent, tu récolteras la tempête. — 2. Vous ne
manquerez pas de faire des progrès, à condition que vous soyez

méthodiques et persévérants. — 3. Si vous croyez savoir beaucoup de choses, souvenez-vous qu'il y en a beaucoup plus que vous ignorez. — 4. Soit que vous parliez, soit que vous écriviez, efforcez-vous d'exprimer clairement votre pensée. — 5. D'un inconnu nous faisons volontiers un ami, pour peu qu'il flatte notre amour-propre; s'il énumère nos qualités et qu'il s'arrête, nous attendons qu'il continue. — 6. Si nous déracinions chaque année un seul vice, bientôt nous serions parfaits.

*198. Encadrez les subordonnées compléments circonstanciels d'opposition et les subordonnées compléments circonstanciels de condition (ou de supposition) et marquez-les chacune du signe approprié.

1. Bien qu'on reproche souvent au monde d'être trompeur et vain, on ne le quitte que difficilement. — 2. Les circonstances finissent souvent par s'accorder avec nos désirs, pourvu que nous ayons de la patience et que nous montrions de la bonne volonté. — 3. Ceux qui sont sans expérience s'égareront s'ils ne se laissent conduire par des personnes prudentes ; que s'ils s'obstinent à suivre leur propre sentiment, le résultat leur en sera funeste. — 4. Qui que vous soyez, vous serez aux prises avec l'adversité ; quand même elle vous écraserait, vous pourrez la vaincre, à condition que vous ayez une grande force d'âme et que vous gardiez la foi dans l'avenir.

*199. Même exercice.

Vie modérée, vie heureuse.

La richesse ne fait pas le bonheur. Tout pauvre qu'on peut être, on peut n'avoir rien à envier aux riches, à condition qu'on sache borner ses désirs. Même si l'on vit dans une cabane, on peut vivre content de soi, des hommes, des événements, pour peu qu'on sache s'accommoder au temps et aux circonstances. Voyez les gens opulents : quoiqu'ils paraissent heureux, ils endurent souvent des maux cruels. Une table délicate, un lit moelleux, une oisiveté dorée appellent les infirmités, tandis que des repas frugaux, mais sains, une demeure simple, mais propre, un travail assidu, mais modéré, sont des gages de santé et de bonheur, si l'on sait s'imposer une règle de vie.

RÉCAPITULATION

*200. Analysez les diverses phrases du texte suivant :

L'Égalité d'humeur.

Il convient, mes chers enfants, que nous ayons de la patience et que nous supportions sans murmures les petits ennuis et les contrariétés de chaque jour. Certaines gens, dès que le moindre contretemps trouble leurs aises ou leurs projets, laissent la colère envahir leur âme et prétendent que tout va de travers ; ils se plaignent de ce que tout se ligue contre eux et se répandent en de telles récriminations que leur entourage se demande quelle est la cause d'un semblable débordement. Quelles que soient les circonstances, maîtrisons les élans désordonnés de notre âme, parce qu'ils nous emporteraient hors des voies de la raison. Avec de la patience, dit la sagesse populaire, on vient à bout de tout.

Subordonnées compléments circonstanciels de comparaison, etc.

PRINCIPES

106. Comparaison. — La subordonnée complément circonstanciel de comparaison peut être introduite :

1º Par *comme, ainsi que, aussi bien que, de même que, à mesure que, autant que, pour autant que, à proportion que, selon que, suivant que ;*

2º Par la conjonction *que* corrélative d'adjectifs ou d'adverbes de comparaison tels que : *aussi, autant, si, tout, autre, autrement, le même, meilleur, mieux, moindre, moins, plus, pire, tel...* :

> *On meurt* | **comme on a vécu.**
> *Cet élève étudie mieux* | **que je ne croyais.**

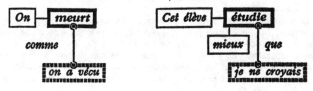

Remarques. — 1. Il arrive souvent que la subordonnée complément circonstanciel de comparaison est elliptique : son verbe, sous-entendu, est le même que le verbe de la principale [1] :

> *Pierre parle* | **comme un sage,** c.-à-d. *comme un sage* [parle].
> *Paul est plus studieux* | **que son frère,** c.-à-d. *que son frère* [n'est studieux].
> *Jacques est plus prudent* | **que brave,** c.-à-d. *qu'*[il n'est] *brave*.

2. Parfois la comparaison est exprimée au moyen de deux propositions indépendantes juxtaposées qui commencent l'une et l'autre par un adjectif ou un adverbe marquant la comparaison : de ces deux propositions, c'est la première qui a une valeur de subordonnée, et c'est la seconde qui est la proposition principale :

> **Plus il réfléchit,** | *plus il hésite* (c.-à-d. *il hésite d'autant plus qu'il réfléchit plus*).

Quelquefois, dans ces sortes de phrases, le verbe de chacune des deux propositions est omis :

> *Autant d'hommes,* | *autant d'avis.* — *Tel père,* | *tel fils.*

3. *Comme si* sert à introduire une subordonnée complément circonstanciel marquant à la fois la comparaison et la supposition (il n'est pas nécessaire de sous-entendre un verbe après *comme*) :

> *Il me traite* | **comme si j'étais son valet.**

4. Quand la subordonnée complément circonstanciel de comparaison se rattache à un comparatif d'adjectif, on peut la considérer comme une subordonnée complément d'adjectif. (Voir § 115, Rem.)

107. Autres subordonnées compléments circonstanciels.

On peut distinguer encore des subordonnées compléments circonstanciels marquant :

1º Le **lieu ;** elles sont introduites par l'adverbe de lieu *où* employé comme conjonction, ou par une des locutions adverbiales *d'où, par où, jusqu'où* (parfois aussi : *sur où, pour où, vers où*), employées comme conjonctions :

> **Où la guêpe a passé,** | *le moucheron demeure.* (La Font.)
> *Je retourne* | **d'où je suis venu.**

---

1. Dans des phrases telles que *Pierre parle comme un sage, Paul est plus studieux que son frère, Jacques est plus prudent que brave,* on pourrait, sans sous-entendre aucun mot, considérer *sage* comme un complément circonstanciel de manière (ou de comparaison) de *parle,* — *frère* comme un complément du comparatif *plus studieux* — et *brave* comme un complément du comparatif *plus prudent* (§ 41), mais plusieurs trouveront préférable, sans doute, de sous-entendre un verbe.

2º L'**addition**; elles sont introduites par *outre que :*
Outre qu'il est intelligent, | *il est très appliqué.*

3º La **restriction** ; elles sont introduites par *excepté que, hormis que, hors que, sauf que, si ce n'est que :*
Ces deux frères se ressemblent parfaitement, | **excepté que** l'un n'a pas la grande taille de l'autre.

4º La **manière** ; elles s'introduisent par *comme, sans que, que... ne :*
Nous agirons toujours | **comme l'honneur l'exige.**
Nous le ferons | **sans qu'on nous le commande.**
Vous ne sauriez lui dire deux mots | **qu'il ne vous contredise.**

Remarque. — Dans beaucoup de cas, la subordonnée introduite par *comme* peut être considérée soit comme une subordonnée complément circonstantiel de comparaison, soit comme une subordonnée complément circonstanciel de manière.

108. Modèles d'analyse :

1. *On meurt comme on a vécu.*
2. *Cet élève étudie mieux que je ne croyais.*
3. *Pierre parle comme un sage.*
4. *Paul est plus studieux que son frère.*
5. *Plus il réfléchit, plus il hésite.*
6. *Autant d'hommes, autant d'avis.*
7. *Il me traite comme si j'étais son valet.*
8. *Je retourne d'où je suis venu.*
9. *Nous le ferons sans qu'on nous le commande.*

a) Simple distinction des propositions :

1. **On meurt** : propos. principale.
   comme on a vécu : propos. subordonnée ; complément circonstanciel de comparaison de *meurt ;* introduite par la conjonction *comme.*
2. **Cet élève étudie mieux** : propos. principale.
   que je ne croyais : propos. subordonnée ; complément circonstanciel de comparaison de *étudie ;* introduite par la conjonction *que.*

3. **Pierre parle** : propos. principale.

   comme un sage [parle] : propos. subordonnée elliptique ; complément circonstanciel de comparaison de *parle ;* introduite par la conjonction *comme.*

4. **Paul est plus studieux** : propos. principale.

   que son frère [n'est studieux] : propos. subordonnée elliptique ; complément circonstanciel de comparaison de *est studieux* [on peut dire aussi : complément du comparatif d'adjectif *plus studieux*] ; introduite par la conjonction *que.*

5. **Plus il réfléchit** : propos. indépendante, ayant la valeur d'une subordonnée complément circonstanciel de comparaison de *hésite.*

   plus il hésite : propos. indépendante (principale si l'on considère dans la propos. précédente sa valeur de subordonnée).

6. **Autant d'hommes** [sont] : propos. indépendante elliptique, ayant la valeur d'une subordonnée complément circonstanciel de comparaison de *sont* (sous-ent. après *autant d'avis*).

   autant d'avis [sont] : propos. indépendante elliptique (principale si l'on considère dans la propos. précédente sa valeur de subordonnée).

7. **Il me traite** : propos. principale.

   comme si j'étais son valet : propos. subordonnée complément circonstanciel de comparaison et de supposition de *traite ;* introduite par la locution conjonctive *comme si.*

8. **Je retourne** : propos. principale.

   d'où je suis venu : propos. subordonnée ; complément circonstanciel de lieu de *retourne ;* introduite par la locution adverbiale *d'où* employée comme conjonction.

9. **Nous le ferons** : propos. principale.

   sans qu'on nous le commande : propos. subordonnée ; complément circonstanciel de manière de *ferons ;* introduite par la locution conjonctive *sans que.*

b) Analyse complète des phrases :

1. *On meurt comme on a vécu.*

   Base de la phrase: meurt ». Verbe *mourir*, intrans., indic. prés., 3ᵉ pers. sing.

   Sujet : « on ». Pron. indéf., 3ᵉ pers., masc. sing.

Propos. circ. de comparaison : « comme on a vécu ».
Base de la propos. : « a vécu ». Verbe *vivre*, intrans., indic.
passé composé, 3ᵉ pers. sing.
Conj. de subordin. : « comme ».
Sujet : « on ». Pron. indéf., 3ᵉ pers. masc. sing.

2. *Cet élève étudie mieux que je ne croyais.*
Base de la phrase : « étudie ». Verbe *étudier*, intrans., indic.
prés., 3ᵉ pers. sing.
Groupe du sujet : « cet élève ».
Centre : « élève ». Nom commun, masc. sing.
Déterminatif : « cet ». Adj. démonstr., masc. sing., se rapporte
à « élève ».
Compl. circ. de manière : « mieux », se rapporte à la base de
la phrase « étudie ».
Propos. compl. circ. de comparaison : « que je ne croyais ».
Base de la propos. : « croyais ». Verbe *croire*, intrans., indic.
imparf., 1ʳᵉ pers. sing.
Conj. de subordin. : « que » ; unit la propos. à la base de
la phrase « étudie ».
Sujet : « je ». Pron. pers., 1ʳᵉ pers., masc. (ou fém.) sing.
Complément : « ne ». Adv. de négation, se rapporte à la
base « croyais ».

3. *Pierre parle comme un sage.*
Base de la phrase : « parle ». Verbe *parler*, intrans., indic.
prés., 3ᵉ pers. sing.
Sujet : « Pierre ». Nom propre, masc. sing.
Propos. elliptique, compl. circ. de compar. : « comme un sage ».
Base de la propos. : non exprimée [= « parle »].
Conj. de subordination. : « comme », unit la propos. à la base
de la phrase « parle ».
Groupe du sujet : « un sage ».
Centre : « sage ». Nom commun, masc. sing.
Déterminatif : « un ». Art. indéf., masc. sing., se rapporte
à « sage ».

4. *Paul est plus studieux que son frère.*
Base de la phrase : « est ». Verbe copule *être*, indic. prés., 3ᵉ pers.
sing.

Sujet : « Paul ». Nom propre, masc. sing.

Groupe de l'attribut : « plus studieux ».

Centre : « studieux ». Adj. qualific., masc. sing., se rapporte au sujet « Paul ».

Complément : « plus ». Adv. d'intensité, se rapporte à « studieux ».

Propos. elliptique, compl. circ. de compar. : « que son frère ».

Base de la propos. : non exprimée [= « est »].

Conj. de subordin. : « que », unit la propos. à « est studieux ».

Groupe du sujet : « son frère ».

 Centre : « frère ». Nom commun, masc. sing.

 Déterminatif : « son ». Adj. poss., 3ᵉ pers., masc. sing., se rapporte à « frère ».

5. *Plus il réfléchit, plus il hésite.*

Base de la phrase : « hésite ». Verbe *hésiter*, intrans., indic. prés., 3ᵉ pers. sing.

Sujet : « il ». Pron. pers., 3ᵉ pers., masc. sing.

Complément : « plus ». Adv. d'intensité, se rapporte à la base « hésite ».

Propos. compl. circ. de compar. : « plus il réfléchit ».

Base de la propos. : « réfléchit ». Verbe *réfléchir*, intrans., indic. prés., 3ᵉ pers. sing.

Sujet : « il ». Pron. pers., 3ᵉ pers., masc. sing.

Complément : « plus ». Adv. d'intensité, se rapporte à la base « réfléchit ».

6. *Autant d'hommes, autant d'avis.*

Base de la phrase : non exprimée [= « sont »].

Groupe du sujet : « autant d'avis ».

Centre : « avis ». Nom commun, masc. plur.

Déterminatif : « autant de ». Locut. adjective indéfinie [1], se rapporte à « avis ».

Propos. elliptique ayant la valeur d'un complém. circ. de compar. : « autant d'hommes ».

---

1. On peut considérer *autant de* soit comme une locution adjective indéfinie (comparez : *plusieurs*, *différents*, *divers*), soit comme un adverbe de quantité (voir *Précis de Gramm.*, § 218, Rem. 1).

Base de la propos. : non exprimée [= « sont »].
Groupe du sujet : « autant d'hommes ».
Centre : « hommes ». Nom commun, masc. plur.
Déterminatif : « autant de ». Locut. adjective indéfinie, se rapporte à « hommes ».

7. *Il me traite comme si j'étais son valet.*

Base de la phrase : « traite ». Verbe *traiter*, trans. dir., voix act., indic. prés., 3ᵉ pers. sing.

Sujet : « il ». Pron. pers., 3ᵉ pers., masc. sing.

Obj dir. : « me ». Pron. pers., 1ʳᵉ pers., masc. sing.

Propos. compl. circ. de compar. : « comme si j'étais son valet ».

Base de propos. : « étais ». Verbe copule *être*, indic. imparf., 1ʳᵉ pers. sing.

Conj. de subordin. : « comme si », unit la propos. à la base de la phrase « traite ».

Sujet : « j' ». Pron. pers., 1ʳᵉ pers., masc. sing.

Groupe de l'attribut : « son valet ».

Centre : « valet ». Nom commun, masc. sing.

Déterminatif : « son ». Adj. poss., masc. sing., 3ᵉ pers., se rapporte à « valet ».

8. *Je retourne d'où je suis venu.*

Base de la phrase : « retourne ». Verbe *retourner*, intrans., indic. prés., 1ʳᵉ pers. sing.

Sujet : « je ». Pron. pers., 1ʳᵉ pers., masc. sing.

Propos. compl. circ. de lieu : « d'où je suis venu ».

Base de la propos. : « suis venu ». Verbe *venir*, intrans., indic. passé composé, 1ʳᵉ pers. sing.

Adv. de lieu employé comme conj. de subord. : « d'où » unit la propos. à la base de la phrase « retourne ».

Sujet : « je ». Pron. pers., 1ʳᵉ pers., masc. sing.

9. *Nous le ferons sans qu'on nous le commande.*

Base de la phrase : « ferons ». Verbe *faire*, trans. dir., voix act., indic. fut. simple, 1ʳᵉ pers. plur.

Sujet : « nous ». Pron. pers., 1ʳᵉ pers., masc. (ou fém.) plur.

Obj. dir. : « le ». Pron. pers., 3ᵉ pers., neutre sing.

Propos. compl. circ. de manière : « sans qu'on nous le commande ».

Base de la propos. : « commande ». Verbe *commander*, trans. dir., voix act., indic. prés., 3ᵉ pers. sing.

Conj. de subordin. : « sans que », unit la propos. à la base de la phrase « ferons ».

Sujet : « on ». Pron. indéf., masc. sing.

Obj. dir. : « le ». Pron. pers., 3ᵉ pers., neutre sing.

Obj. indir. : « nous ». Pron. pers., 1ʳᵉ pers., masc. (ou fém.) sing.

EXERCICES

*201. Encadrez les subordonnées compléments circonstanciels de comparaison et marquez-les du signe *sub. c. c. comp.*

1. On meurt d'ordinaire comme on a vécu. — 2. De même qu'un poison se répand dans les veines, la flatterie s'insinue dans l'âme. — 3. Bien des gens sont moins sages qu'ils ne le pensent. — 4. Ainsi qu'un ami nous incite à bien faire, un bon livre nous inspire le goût des nobles actions. — 5. Certains personnages sont tout autres qu'ils ne paraissent ; ils agissent autrement qu'ils ne parlent.

*202. Complétez, dans chacune des phrases suivantes, la subordonnée complément circonstanciel de comparaison :

1. Agissons toujours comme... — 2. De même que..., la mélancolie accable notre âme. — 3. Le nombre des illettrés était, il y a un siècle, beaucoup plus élevé que... — 4. Quand on nous a confié un dépôt, rendons-le fidèlement tel que... — 5. Il faut marcher dans les voies de l'honneur, ainsi que...

*203. Faites l'analyse de chacune des phrases suivantes :

1. Le lac brillait comme un miroir. — 2. Notre esprit cherche la vérité, comme une plante la lumière. — 3. L'or est moins utile que le fer. — 4. Certains livres sont plus amusants qu'instructifs. — 5. Pierre a fait en six semaines plus de progrès que son frère en six mois. — 6. Plus on est de fous, plus on rit. — 7. Moins de peines, moins de joies. — 8. Il est plus aisé de se taire que de ne point faire d'excès dans ses paroles. — 9. Certaines gens décident comme s'ils savaient toutes choses.

*204. Analysez les phrases suivantes et discernez les subordonnées compléments circonstanciels de lieu, d'addition, de restriction, de manière :

1. L'herbe d'ennui se fane où fleurit le devoir. — 2. Un élève appliqué fait son travail sans qu'on l'y contraigne. — 3. Le loup travesti ressemblait fort au berger, sauf que sa voix était bien celle d'un loup. — 4. Outre qu'elle est nuisible à la santé, l'oisiveté avilit l'âme. — 5. Le malheur nous frappe souvent par où nous sommes sensibles. — 6. Nous ne réglons pas toujours notre vie comme elle nous plairait.

*205. Analysez les diverses phrases du texte suivant :

La Force d'âme.

Nous nous conduirons, en toute occasion, comme le devoir le commande et nous ne serons pas moins attentifs que nos aînés à tremper notre caractère. De même que le chêne résiste à la tempête, nous opposerons notre force d'âme au souffle des contrariétés et à l'orage des malheurs ; nous supporterons les souffrances sans que notre entourage soit importuné de nos lamentations. Où on demandera du secours, nous irons avec ardeur et nous agirons au besoin comme le bon Samaritain. En toutes circonstances, nous serons aussi vaillants que charitables.

RÉCAPITULATION

*206. Analysez les phrases suivantes :

1. Si vous ne savez pas obéir maintenant, vous commanderez mal quand vous aurez une autorité à exercer. — 2. Il convient que vous appreniez à exécuter des ordres, afin que vous sachiez plus tard en donner à votre tour. — 3. Parlez toujours de façon qu'aucun mensonge ne souille vos lèvres et qu'aucune calomnie ne sorte de votre bouche.

Subordonnées compléments d'agent.

PRINCIPES

109. La **subordonnée complément d'agent** du verbe passif désigne l'être par qui est faite l'action que subit le sujet

du verbe principal. Elle est introduite par un des pronoms relatifs indéfinis *qui* ou *quiconque*, l'un et l'autre précédés d'une
des prépositions *par* ou *de* :.

> *Cette maison sera habitée* | par qui la construira.
> *Cet homme est aimé* | de quiconque le connaît.

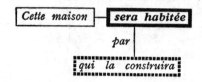

110. Modèle d'analyse :

Cette maison sera habitée par qui la construira

a) Simple distinction des propositions :

Cette maison sera habitée : propos. principale.

par qui la construira : propos. subordonnée ; complément d'agent
du verbe passif *sera habitée ;* introduite par le pronom relatif
indéfini *qui* précédé de la préposition *par*.

b) Analyse complète des phrases :

Base de la phrase : « sera habitée ». Verbe *habiter*, voix passive,
indic. fut. simple, 3e pers. sing.

  Groupe du sujet : « cette maison ».

  Centre : « maison ». Nom commun, fém. sing.

  Déterminatif : « cette ». Adj. démonstr., fém. sing., se rapporte à « maison ».

Propos. compl. d'agent : « par qui la construira ».

  Base de la propos. : « construira ». Verbe *construire*, trans.
dir., voix act., indic. fut. simple, 3e pers. sing.

  Sujet : « qui ». Pron. relat. indéf. (sans antécéd.), 3e pers.,
masc. sing.

  Obj. dir. : « la ». Pron. pers., 3e pers., fém. sing., remplace
« maison ».

  Préposition : « par », unit la propos. à la base de la phrase
« sera habitée ».

EXERCICES

*207. Analysez les phrases suivantes :

1. Un grand dévouement sera toujours admiré par qui comprend la grandeur morale. — 2. Les Ardennes sont aimées de quiconque apprécie les paysages nobles et austères. — 3. Les hauts emplois sont-ils toujours occupés par qui les mérite ? — 4. De tout temps les héros ont été loués par quiconque a l'âme bien située. — 5. Dans une société idéale, les postes importants seraient remplis par qui aurait compétence et vertu.

*208. Complétez les subordonnées compléments d'agent.

1. La duplicité est détestée par... — 2. Les beaux exemples seront imités par... — 3. On souhaiterait que les grandes et nobles actions fussent racontées par... — 4. Corneille est estimé de... — 5. Un homme sans idéal sera toujours méprisé de...

RÉCAPITULATION

*209. Analysez les diverses phrases du texte suivant :

Soyons bons pour les animaux.

Puisque les animaux sont sensibles à la douleur, aussi bien que les hommes, nous serions cruels si nous les maltraitions ou si nous leur imposions des souffrances inutiles. Qui prendrait plaisir à tourmenter un animal risquerait fort de prendre l'habitude de la cruauté ; il serait blâmé par quiconque s'émeut au spectacle de la douleur. Quand nous voyons un enfant martyriser un chien, un chat, un hanneton, une mouche, rappelons-lui que son amusement, bien qu'il paraisse innocent, est indigne et cruel ; avertissons-le qu'il fait preuve de méchanceté et qu'il avilit son cœur.

Subordonnées relatives
(Compléments de nom ou de pronom).

PRINCIPES

111. La **subordonnée relative** se joint au moyen d'un *pronom relatif* à un nom ou à un pronom, qui est son *antécédent* dans la proposition principale, et dont elle précise le sens :

L'esprit| **qu'on veut avoir**| *gâte celui*| **qu'on a.**

Remarque. — Il y a des subordonnées relatives sans antécédent : elles sont introduites par les pronoms indéfinis *qui* ou *quiconque*, et sont sujets (§ 89,5°), ou attributs (§ 91, 2°), ou compléments d'objet (§ 94, 2°), ou compléments du nom ou du pronom (*il apprécie l'opinion* **de qui le flatte** *et dédaigne celle* **de quiconque le critique**), ou compléments d'agent (§ 109), ou compléments d'adjectif § 115).

112. Au point de vue de sa fonction, la subordonnée relative est :

1° **Complément déterminatif,** quand elle restreint la signification du nom (ou du pronom) antécédent ; *on ne peut la retrancher* sans nuire essentiellement au sens de la phrase ; elle sert à distinguer l'être ou la chose dont il s'agit des autres êtres ou choses de la même catégorie :

La modestie | qui se plaît à être louée | *est un orgueil secret.*

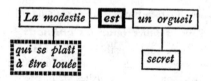

2° **Complément explicatif,** quand elle ajoute à l'antécédent une explication accessoire, exprimant un aspect particulier de l'être ou de la chose dont il s'agit ; *on peut la retrancher* sans nuire essentiellement au sens de la phrase et d'ordinaire elle est séparée par une virgule.

La modestie, | qui donne au mérite un si beau relief, | *sied aux grands hommes.*

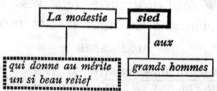

Remarque. — La subordonnée introduite par la conjonction *que* et précisant un nom comme *bruit, certitude, conviction, crainte, espoir, fait,*

nouvelle, opinion, preuve, sentiment..., est une subordonnée *complément déterminatif* du nom [1] :

> *L'espoir* | qu'il guérira | *me soutient.*
> *On a donné la preuve* | que l'accusé est innocent.
> *La nouvelle* | que l'ennemi approchait | *jeta partout la consternation.*
> *J'ai le sentiment* | que cet homme dit la vérité.

113. Modèles d'analyse :

1. *L'esprit qu'on veut avoir gâte celui qu'on a.*
2. *La modestie, qui donne au mérite un si beau relief, sied aux grands hommes.*

a) Simple distinction des propositions :

1. **L'esprit gâte celui :** propos. principale.

   qu'on veut avoir : propos. subordonnée relative ; complément déterminatif de *esprit ;* introduite par le pronom relatif *que.*

   qu'on a : propos. subordonnée relative ; complément déterminatif de *celui ;* introduite par le pronom relatif *que.*

2. **La modestie sied aux grands hommes :** propos. principale.

   qui donne au mérite un si beau relief : propos. subordonnée relative ; complément explicatif de *modestie ;* introduite par le pronom relatif *qui.*

b) Analyse complète des phrases :

1. *L'esprit qu'on veut avoir gâte celui qu'on a.*

   Base de la phrase : « gâte ». Verbe *gâter,* trans. dir., voix act., indic. prés., 3e pers. sing.

   Groupe du sujet : « l'esprit qu'on veut avoir ».

   Centre : « esprit ». Nom commun, masc. sing.

   Déterminatif : « l' ». Art. déf. élidé, masc. sing., se rapporte à « esprit ».

   Propos. compl. déterminatif de « esprit » ; « qu'on veut avoir ».

   Base de la propos. : « veut ». Verbe *vouloir,* trans. dir., voix act., indic. prés., 3e pers. sing.

---

1. Opinion du *Code de Terminologie grammaticale* du Ministère belge de l'Instruction publique. — Certains grammairiens tiennent cette subordonnée pour une subordonnée *en apposition ;* d'autres en font une subordonnée complément d'objet direct du verbe impliqué dans le nom.

Sujet : « on ». Pron. indéf., masc. sing.

Groupe de l'obj. dir. : « avoir qu' ».

    Centre : « avoir ». Verbe *avoir*, trans. dir., voix act., infin. prés.

    Obj. dir. : « qu' ». Pron. rel., antéc. « esprit », masc. sing.

Groupe de l'obj. dir. : « celui qu'on a ».

Centre : « celui ». Pron. démonstr., masc. sing., remplace « esprit ».

Propos. compl. déterminatif de « celui » : « qu'on a ».

    Base de la propos. : « a ». Verbe *avoir*, trans. dir., voix act., indic. prés., 3ᵉ pers. sing.

    Sujet : « on ». Pron. indéf., masc. sing.

    Obj. dir. : « qu' ». Pron. rel., antéc. « celui », masc. sing.

2. *La modestie, qui donne au mérite un si beau relief, sied aux grands hommes.*

Base de la phrase : « sied ». Verbe *seoir*, intrans., indic. prés., 3ᵉ pers. sing.

Groupe du sujet : « la modestie, qui donne au mérite un si beau relief ».

Centre : « modestie ». Nom commun, fém. sing.

Déterminatif : « la ». Art. déf., fém. sing., se rapp. à « modestie ».

Propos. compl. explicatif de « modestie » : « qui donne au mérite un si beau relief ».

    Base de la propos. : « donne ». Verbe *donner*, trans. dir., voix act., indic. prés., 3ᵉ pers. sing.

    Sujet : « qui ». Pron. relat., antécéd. « modestie », fém. sing.

    Groupe de l'obj. dir. : « un si beau relief ».

    Centre : « relief ». Nom commun, masc. sing.

    Déterminatif : « un ». Art. indéf., masc. sing., se rapporte à « relief ».

    Groupe de l'épithète : « si beau ».

      Centre : « beau ». Adj. qualific., masc. sing., se rapporte à « relief ».

      Complém. : « si ». Adv. d'intens., se rapporte à « beau ».

    Groupe de l'obj. indir. : « au mérite ».

    Centre : « mérite ». Nom commun, masc. sing.

    Déterminatif : « au ». Art. déf. contr. pour « à le » [« à » : prép., unit l'obj. ind. à la base « donne » ; — « le » : art. déf., masc. sing., se rapporte à « mérite »].

Groupe de l'obj. indir. : « aux grands hommes ».

Centre : « hommes ». Nom commun, masc. plur.

Épithète : « grands ». Adj. qualif., masc. plur., se rapporte à « hommes ».

Déterminatif : « aux ». Art. déf. contracté, pour « à les » [« à » : prépos., unit l'obj. indir. « hommes » à la base « sied » ; — « les » : art. déf., masc. plur., se rapporte à « hommes »].

114. Remarques. — 1. Souvent la subordonnée relative, tout en précisant un nom ou un pronom, joue le rôle d'un complément circonstanciel et exprime une idée de but, de cause, de condition, de conséquence... :

Je cherche un médecin | **qui puisse me guérir** [but ; le sens est : afin qu'il puisse me guérir].

Les longs espoirs ne conviennent pas aux vieillards, **qui n'ont plus que peu de temps à vivre** [cause ; le sens est : parce qu'ils n'ont plus que peu de temps à vivre].

2. Pour les phrases comme *Votre ami est là* **qui attend** ; *je le vois* **qui vient,** voir § 91, Rem.

3. Il y a des subordonnées relatives compléments déterminatifs dont le verbe est à l'infinitif :

Heureusement sa main trouva une pierre **à quoi s'accrocher** [= à laquelle il pût s'accrocher].

Il n'avait pas une pierre **où reposer sa tête** [= où il pût reposer sa tête].

4. Des phrases telles que :

    a) *Les violonistes que j'ai entendus jouer étaient habiles.*

    b) *Les airs que j'ai entendu jouer étaient charmants.*

pouvaient s'analyser ainsi :

a) **Les violonistes étaient habiles** : propos. principale.

    que j'ai entendus : propos. subordonnée relative, complément déterminatif de *violonistes.*

    jouer : propos. subordonnée infinitive (ayant pour sujet *que,* de la proposition précédente) ; complément d'objet direct de *ai entendus.*

b) **Les airs étaient charmants** : propos. principale.

    que j'ai entendu jouer : propos. subordonnée relative ; complément déterminatif de *airs* [ici *jouer* est un simple infinitif complément d'objet direct ; il n'a pas de sujet propre].

5. Des phrases telles que :

    a) *C'est mon père qui vient.*

    b) *C'est ma mère que je cherche.*

s'analyseront ainsi :

a) **C'est mon père qui vient** : propos. indépendante, dont le sujet *mon père* est mis en relief par le gallicisme *c'est... qui.*

b) **C'est ma mère que je cherche** : propos. indépendante, dont le complément d'objet direct *ma mère* est mis en relief par le gallicisme *c'est... que.*

6. **Relatives doubles.** — Des phrases telles que : *Je rappelle un fait que je crois que vous oubliez ; j'apporte un remède que l'on dit qui guérit*, présentent des difficultés qu'il serait oiseux de chercher à résoudre dans les classes [1].

7. Dans des phrases telles que : *Une porte qui s'ouvre... c'était Mamette ; Oh ! mon chapeau qui s'envole !* on peut regarder le nom auquel se rattache la subordonnée relative *(porte, chapeau)*, comme se rapportant à un verbe principal sous-entendu : *on entend, je vois, il y a, voilà* (= vois là).

EXERCICES

*210. Analysez les phrases suivantes :

1. La foi qui n'agit point est une foi morte. — 2. Aimons bien nos parents, qui nous ont entourés de tant de soins. — 3. Celui qui met un frein à la fureur des flots sait aussi arrêter les complots que trament les méchants. — 4. La clef dont on se sert est toujours claire. — 5. La patrie, pour laquelle chacun doit se sacrifier, compte sur notre dévouement. — 6. La gloire la plus belle est celle qui naît de la vertu.

*211. Même exercice.

1. Ce que l'on conçoit bien s'énonce clairement. (Boileau.) — 2. Les richesses, qui séduisent tant de gens, font-elles le bonheur ?

---

1. Ces phrases pourraient s'analyser ainsi :

a) **Je rappelle un fait** : propos. principale.

    que je crois : propos. subordonnée relative ; complément déterminatif de *fait ;* introduite par le pronom relatif *que* (qui est complément d'objet direct de *oubliez*).

    que vous oubliez : propos. subordonnée ; complément d'objet direct de *crois ;* introduite par la conjonction *que.*

b) **J'apporte un remède** : propos. principale.

    que l'on dit : propos. subordonnée relative ; complément déterminatif de *remède ;* introduite par le pronom relatif *que* (qui est complément d'objet direct partiel de *dit ;* le complément d'objet direct complet est *que* avec la propos. *qui guérit*).

    qui guérit : propos. subordonnée relative ; complément déterminatif de *que* (= remède) ; introduite par le pronom relatif *qui.*

— 3. Ceux-là sont vraiment grands qui ont une grande charité et dont les desseins sont purs. — 4. Négliger ce qui est utile et nécessaire pour s'appliquer à ce qui nuit est une grande folie. — 5. L'adversité, à laquelle les âmes faibles résistent si difficilement, affermit les âmes fortes. — 6. Harpagon vivait dans une crainte perpétuelle qu'on ne lui dérobât son argent.

*212. Même exercice.

1. La formation du caractère est une chose importante, à laquelle vous devez vous appliquer. — 2. Je souhaiterais un petit jardin, où les œillets et les capucines mêleraient leurs couleurs et leurs parfums, et que fréquenteraient les pinsons. — 3. La charité est la seule vertu à laquelle une durée sans fin est donnée. — 4. Quelle est la difficulté contre laquelle une volonté opiniâtre doive se briser ? — 5. Choisissez des amis dont l'âme soit haute et à qui vous puissiez vous confier. — 6. L'erreur que ce savant a faite est une preuve que les plus grands esprits peuvent se tromper.

*213. Complétez les subordonnées relatives.

1. Comment estimerions-nous l'homme qui... ? — 2. Le bavard parle même de choses dont... — 3. Notre mère, à qui..., mérite toute notre affection. — 4. Nous revoyons toujours avec émotion les lieux où... — 5. Les connaissances que... s'effaceront de notre mémoire si nous ne les affermissons par la répétition. — 6. Occupons-nous consciencieusement des choses auxquelles... — 7. Nous aimons à parler de ce que...

*214. Analysez la phrase suivante :

Celui qui règne dans les cieux et de qui relèvent tous les empires, à qui seul appartient la gloire, la majesté et l'indépendance, est aussi le seul qui se glorifie de faire la loi aux rois et de leur donner, quand il lui plaît, de grandes et de terribles leçons. (Bossuet.)

RÉCAPITULATION

*215. Analysez les diverses phrases du texte suivant:

Le Pasteur.

Il a conduit jadis sur le chemin qui mène
A la prairie en fleurs où chante une fontaine
Fraîche entre les joncs verts que reflète son eau

Les grands bœufs indolents et les rudes taureaux
Qui paissent l'herbe haute et meuglent vers le soir,
Et par l'âpre sentier que borde le houx noir
Il a guidé, parmi l'odeur des toisons rousses,
Ses chèvres vives, ses boucs et ses brebis douces,
Qui bêlaient en marchant, une à une, à la file,
Patientes comme des âmes qu'on exile.

H. de Régnier.

Subordonnées compléments d'adjectif.

PRINCIPES

115. La **subordonnée complément d'adjectif** se joint à certains adjectifs exprimant en général une opinion ou un sentiment, tels que : *sûr, certain, content, heureux, digne...*, pour en préciser le sens.

Elle est introduite par la conjonction *que* (parfois *de ce que* ou *à ce que*) ou encore par un des pronoms relatifs indéfinis *qui* ou *quiconque*, précédé d'une préposition.

Cet homme, digne | qu'on le confonde, | *vit d'intrigues.*
Sûr | qu'il gagnerait la gageure, | *le lièvre s'amusa longtemps.*
Les hommes ingrats | envers qui les a obligés | *seront blâmés.*
Certaines gens sont, par leurs opinions, semblables | à quiconque les approche.

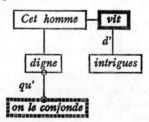

Remarque. — Parmi les subordonnées compléments d'adjectif il y a les subordonnées compléments d'adjectif comparatif :

Les hommes plus heureux | **qu'ils ne le croient** | *et moins malheureux* | **qu'ils ne le disent** | *sont fort nombreux.*

116. Modèles d'analyse :

1. *Cet homme, digne qu'on le confonde, vit d'intrigues.*
2. *Les hommes ingrats envers qui les a obligés seront blâmés.*
3. *Les hommes plus heureux qu'ils ne le croient sont nombreux.*

a) Simple distinction des propositions :

1. **Cet homme, digne, vit d'intrigues** propos. principale.
   qu'on le confonde : propos. subordonnée, complément de l'adjectif *digne ;* introduite par la conjonction *que.*
2. **Les hommes ingrats seront blâmés** : propos. principale.
   envers qui les a obligés : propos. subordonnée, complément de l'adjectif *ingrats ;* introduite par le relatif indéfini *qui* précédé de la préposition *envers.*
3. **Les hommes plus heureux sont nombreux** : propos principale.
   qu'ils ne le croient : propos. subordonnée, complément de l'adjectif comparatif *plus heureux ;* introduite par la conjonction *que.*

b) Analyse complète des phrases :

1. *Cet homme, digne qu'on le confonde, vit d'intrigues.*

   Base de la phrase: « vit ». Verbe *vivre*, intrans., indic. prés., 3e pers. sing.

   Groupe du sujet : « cet homme, digne qu'on le confonde ».

   Centre : « homme ». Nom commun, masc. sing.

   Déterminatif : « cet ». Adj. démonstr., masc. sing., se rapporte à « homme ».

   Groupe de l'épithète détachée : « digne qu'on le confonde ».

   Centre : « digne », masc. sing., se rapporte à « homme ».

   Propos. compl. de l'adj. « digne » : « qu'on le confonde ».

   Base de la prop. : « confonde ». Verbe *confondre,* trans. dir., voix act., subj. prés., 3e pers. sing.

   Conj. de subordin. : « qu' », unit la propos. à l'adjectif « digne ».

   Sujet : « on ». Pron. indéf., masc. sing.

Obj. dir. : « le » Pron. pers., 3ᵉ pers., masc. sing., remplace
« homme ».

Groupe du compl. circ. de moyen : « d'intrigues ».

Centre : « moyens ». Nom commun, fém. plur.

Préposition : « d' », unit le centre du compl. circ. de moyen
à la base de la phrase « vit ».

2. *Les hommes ingrats envers qui les a obligés seront blâmés.*

Base de la phrase: « seront blâmés ». Verbe *blâmer,* voix pass.,
indic. fut. simple, 3ᵉ pers. plur.

Groupe du sujet : « les hommes ingrats envers qui les a obligés ».

Centre : « hommes ». Nom commun, masc. plur.

Déterminatif : « les ». Art. déf., masc. plur., se rapporte à
« hommes ».

Groupe de l'épithète : « ingrats envers qui les a obligés ».

Centre : « ingrats ». Adj. qualif., masc. plur., se rapporte
à « hommes ».

Propos. compl. de l'adj. « ingrats » : « envers qui les a
obligés ».

Base de la propos. : « a obligés ». Verbe *obliger,* trans.
dir., voix act., indic. passé comp., 3ᵉ pers. sing.

Sujet : « qui ». Pron. relat. indéf. (sans antécéd.), 3ᵉ pers.
sing.

Obj. dir. : « les ». Pron. pers., 3ᵉ pers., masc. plur., remplace
« hommes ».

Préposit. : « envers », unit la propos. à l'épithète « ingrats ».

3. *Les hommes plus heureux qu'ils ne le croient sont nombreux.*

Base de la phrase: « sont ». Verbe copule *être,* indic. prés.,
3ᵉ pers. plur.

Groupe du sujet : « les hommes plus heureux qu'ils ne le
croient ».

Centre : « hommes ». Nom commun, masc. plur.

Déterminatif : « les ». Art. déf., masc. plur., se rapporte à
« hommes ».

Groupe de l'épithète : « plus heureux qu'ils ne le croient ».

Centre : « heureux ». Adj. qualif., masc. plur., se rapporte
à « hommes ».

Complém. : « plus ». Adv. d'intensité, forme avec l'épithète
« heureux » le comparatif.

Propos. compl. de l'adj. comparatif « *plus heureux* » : « qu'ils ne le croient ».

Base de la propos. : « croient ». Verbe *croire*, trans. dir., voix act., indic. prés., 3ᵉ pers. plur.

Conj. de subordin. : « qu' », unit la propos. au comparatif « plus heureux ».

Obj. dir. : « le ». Pron. pers., 3ᵉ pers., neutre sing., remplace « être heureux ».

Complém. : « ne ». Adv. de négat., se rapporte à la base « croient ».

Attribut : « nombreux ». Adj. qualific., masc. plur., se rapporte au sujet « les hommes ».

EXERCICES

*216. Analysez les phrases suivantes :

1. Un homme est-il jamais certain que son entreprise réussira ? — 2. Le héron, tout heureux qu'un limaçon s'offrît à sa vue, ne dédaigna pas ce modeste dîner. — 3. L'orateur qui ne met pas sa parole au service de la vérité ou de la vertu n'est pas digne qu'on l'écoute. — 4. Certains enfants, sûrs que leurs parents useront envers eux d'une large indulgence, négligent de se corriger. — 5. Un homme furieux de ce que les événements ne s'accommodent pas à ses désirs a-t-il quelque sagesse ? — 6. Toujours attentive à ce qu'il ne manque rien à son enfant, une mère est l'image parfaite du dévouement.

*217. Même exercice.

1. Le corbeau, tout heureux de ce que le renard l'avait félicité sur sa belle voix, ouvrit un large bec et abandonna son fromage. — 2. Un homme vraiment charitable se rend aimable à quiconque est en rapport avec lui. — 3. Parfois des élèves semblent las que leurs maîtres les reprennent ; s'ils réfléchissaient, ils se montreraient peut-être contents qu'on s'applique à les rendre meilleurs. — 4. Sûrs que l'avenir leur appartenait, certains hommes d'État ont perdu toute prudence et toute sagesse. — 5. Vous pouvez être fier de ce que vos efforts ont été couronnés de succès, mais ne vous montrez pas orgueilleux.

RÉCAPITULATION

*218. Analysez les diverses phrases du texte suivant :

Les Fruits de vos études.

Si vous vous acquittez très exactement et très consciencieusement de toutes les tâches qui vous sont imposées, vous en recueillerez
des fruits dont l'importance ne vous échappe certainement pas.
Soyez sûrs que votre avenir dépend, dans une certaine mesure, des
efforts que vous faites pendant que vous êtes jeunes et des règles
auxquelles vous vous pliez. Quoi qu'il vous en coûte peut-être
maintenant, vous serez heureux plus tard qu'on vous ait donné
des maîtres soucieux de former votre esprit et votre caractère.

Propositions participes.

PRINCIPES

117. La **proposition participe** est une proposition subordonnée dont le verbe, au participe présent ou passé, a un *sujet
qui lui est propre* et ne dépend pas d'un mot de la proposition
principale.

Elle est équivalente à un complément circonstanciel de temps,
de cause, d'opposition ou de condition — et elle n'est rattachée à
la principale par aucun mot subordonnant :

> Dieu aidant, | *nous vaincrons.*
> Le père mort, | *les fils vous retournent le champ.* (La Font.)

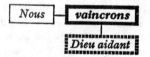

Remarques. — 1. Il y a lieu d'insister sur le principe qu'on n'a une
proposition participe que si le participe a un *sujet propre ;* on se gardera
donc de prendre pour une proposition participe le participe (présent ou
passé) épithète détachée du sujet ou du complément du verbe principal :

a) Un orage, approchant *rapidement, effraya mes compagnons de route.*
     [*approchant* = épithète détachée du sujet *orage.*]

b) **Un orage approchant,** *nous avons interrompu notre voyage.*
[*un orage approchant* = proposition participe.]

2. Dans la proposition participe, le participe passé admet fréquemment l'ellipse de l'auxiliaire *étant* ou *ayant été :*

La bise venue, | *la cigale se trouva fort dépourvue* [= la bise *étant venue...*].

La pierre ôtée, *le char put avancer* [= la pierre *étant ôtée*
ou : *ayant été ôtée*].

118. Modèles d'analyse :

1. *Dieu aidant, nous vaincrons.*
2. *Le père mort, les fils vous retournent le champ.*

a) Simple distinction des propositions :

1. **Nous vaincrons :** propos. principale.

Dieu aidant, propos. subordonnée participe ; complément circonstanciel de condition de *vaincrons.*

2. **Les fils vous retournent le champ :** propos. principale.

Le père mort : propos. subordonnée participe ; complément circonstanciel de temps de *retournent.*

b) Analyse complète des phrases :

1. *Dieu aidant, nous vaincrons.*

Base de la phrase: « vaincrons ». Verbe *vaincre,* intrans., indic. fut. simple, 1re pers. plur.

Sujet : « nous ». Pron. pers., 1re pers., masc. (ou fém.) plur.

Propos. participe, compl. circ. de condition : « Dieu aidant »
Base de la propos. : « aidant ». Verbe *aider,* intrans., partic. prés.

Sujet : « Dieu ». Nom propre, masc. sing.

2. *Le père mort, les fils vous retournent le champ.*

Base de la phrase: « retournent ». Verbe *retourner,* trans. **dir.,** voix act., indic. prés., 3e pers. plur.

Groupe du sujet : « les fils ».

Centre : « fils ». Nom commun, masc. plur.

Déterminatif : « les ». Art. déf., masc., plur., se **rapporte** à « fils ».

Groupe de l'obj. dir. : « le champ ».

Centre : « champ ». Nom commun, masc. sing.

Déterminatif : « le ». Art. déf., masc. sing., se rapporte à « champ ».

Mot explétif : « vous ». Pron. pers., 2ᵉ pers., masc. (ou fém.) plur.

Propos. participe, compl. circ. de temps : « le père mort ».

   Base de la propos. : « mort ». Verbe *mourir*, intrans., part. passé, masc. sing.

   Groupe du sujet : « le père ».

     Centre : « père ». Nom commun, masc. sing.

     Déterminatif : « le ». Art. déf., masc. sing., se rapporte à « père ».

EXERCICES

*219. Faites l'analyse de chacune des phrases suivantes :

1. La tanche rebutée, le héron trouva du goujon. — 2. L'âge venant, vous acquerrez de l'expérience. — 3. La Palestine délivrée, les croisés créèrent le royaume de Jérusalem. — 4. L'air devenu serein, le pigeon partit tout morfondu. — 5. Chacun de vous, les circonstances aidant, pourra faire son chemin ; mais votre valeur personnelle étant votre principale chance de succès, enrichissez votre esprit et trempez votre caractère. — 6. Lorsque nous nous examinons bien, ne trouvons-nous pas que, tout compte fait, nous avons plus de défauts que de qualités ?

*220. Analysez les phrases suivantes (et gardez-vous de prendre pour des *propositions participes* les participes qui ne sont que des *épithètes détachées*) :

1. De hauts peupliers, dressant au bord de la Meuse leur noble colonnade, mêlaient leur murmure au clapotis de l'eau. — 2. La colère envahissant mon âme, je remis à plus tard le soin de prendre une décision. — 3. L'homme, étant faillible, doit être circonspect quand il porte un jugement. — 4. La cigale, ayant chanté tout l'été, n'avait rien amassé ; l'hiver venu, elle manquait de tout. — 5. Pouvons-nous, la tempête faisant rage, entreprendre la traversée ? — 6. Tout bien examiné, le meilleur parti est encore de marcher dans les voies de la vertu.

*221. Remplacez les points par une proposition participe :

1. ..., nous dirons toujours la vérité. — 2. Les hirondelles,..., quittent nos contrées. — 3. ..., les bergers vinrent adorer le Divin Enfant. — 4. ..., l'âne de la fable tondit du pré des moines la largeur de sa langue. — 5. ..., le moissonneur se hâte d'achever son travail. — 6. ..., notre jugement sera plus prompt et plus sûr. — 7. Il y a des fanfarons qui, ..., manquent complètement de courage. — 8. ..., l'ennemi brûla toutes les maisons.

*222. Analysez les différentes phrases du texte suivant :

Bravoure des Nerviens.

En 57 avant Jésus-Christ, Jules César, ayant vaincu successivement diverses peuples gaulois, s'attaqua à nos ancêtres. Son plan bien arrêté, il voulut dompter d'abord les Nerviens : une terrible bataille, livrée sur les bords de la Sambre, le mit à deux doigts de la défaite. Les légionnaires établissant leur camp, les Nerviens engagèrent impétueusement le combat : l'armée romaine, bousculée de toutes parts, déjà lâchait pied. Mais César ayant rallié ses légionnaires, la bataille changea de face. Leurs pertes étant énormes, les Nerviens cessèrent le combat.

RÉCAPITULATION

*223. Faites l'analyse de toutes les phrases du texte suivant :

L'Instruction.

Il convient que nous profitions le mieux possible de tous les moyens de savoir que nous ont préparés ceux qui ont vécu avant nous. La sagesse nous enseigne que l'instruction est plus précieuse que la fortune et l'expérience nous avertit qu'un homme est généralement digne qu'on l'écoute s'il est instruit et vertueux. Ce principe admis, vous formerez de sages résolutions quand vous entendrez vos maîtres proclamer la nécessité de l'instruction.

EXERCICES RÉCAPITULATIFS
SUR L'ANALYSE DES PHRASES

*224.   *Au pays des Esquimaux.*

Nous arrivâmes à une contrée où le soleil ne se couchait plus. Pâle et élargi, cet astre tournait tristement autour d'un ciel glacé ; de rares animaux erraient sur des montagnes inconnues. D'un côté s'étendaient des champs de glace, contre lesquels se brisait une mer décolorée ; de l'autre s'élevait une terre hâve et nue, qui n'offrait qu'une morne succession de baies solitaires et de caps décharnés. Nous cherchions quelquefois un asile dans des trous de rochers, d'où les aigles marins s'envolaient avec de grands cris.

Chateaubriand.

*225.   *Dahlia et Bégonia.*

Tout riche et noble qu'il était,
Un bégonia bégayait,
Ce qui faisait rire aux éclats
Ses voisins, les camélias.
Un soir, près d'un acacia,
Le bégonia rencontra
Un pauvre et humble dahlia
Avec lequel il se lia.
Ce dahlia était muet,
Mais il savait emplir de joie
La journée des fleurs qu'il aimait.
Et depuis lors, dans le jardin,
On peut voir sous l'acacia,
Dahlia et bégonia
Jouer ensemble avec le chat.

Maurice Carême.

*226.   *Le Temps fuit.*

Le temps fuit sans que l'on y songe. Puisqu'il fuit toujours et qu'il faut renoncer à lui persuader qu'il ne fuie pas, ne nous plaignons pas trop qu'il déroule en s'enfuyant de magiques paysages. Tant de fois nous avons vu son pas lent avancer sur la monotonie

du cadran ! O temps, marche ! Je ne t'en veux point et je sais où
tu me conduis. Je verrai finir ta course un jour. Ronge, dévore,
anéantis : j'ai en moi quelque chose qui t'échappe et qui te verra
mourir ! Quoique ta faux tranche mes heures, mes années, ma
vie, tu ne m'effrayes pas, parce que j'ai fixé mon séjour dans un
palais que tes coups ne renverseront jamais.

D'après L. VEUILLOT.

*227.   *Phrases détachées.*

1. Quel est l'homme si éclairé qu'il sache tout parfaitement ?
— 2. Propre à tout, propre à rien. — 3. Certaines gens obéissent plutôt
par nécessité que par amour. — 4. Il arrive que nous estimions une
personne sur la seule réputation qu'elle a ; quand cette personne se
montre à nous, elle détruit l'opinion que nous avions d'elle. — 5. Celui
qui possède la charité véritable et parfaite, dit l'Imitation, ne se
recherche en rien. — 6. Appliquez-vous à supporter patiemment les
défauts et les infirmités des autres, quelles qu'elles soient, parce qu'il
y a aussi bien des choses en vous que les autres ont à supporter.

*228.   *La Cloche du village.*

> Je te reconnais, ô cloche fidèle
> Qui me saluas quand j'ouvris les yeux,
> Me rendis d'abord croyant et pieux,
> Puis, quand je quittai l'aile maternelle,
> Me fis tant pleurer à tes lents adieux !
> Je te reconnais ! ta voix est la même,
> Les ans ont passé sur ton bronze dur
> Sans y rien graver de faux ni d'impur :
> Je te reconnais, ma cloche, et je t'aime,
> Bel oiseau d'airain chantant dans l'azur !

Fr. FABIÉ.

*229.   *Le Travail des champs.*

Parmi tous les travaux manuels il n'en est aucun qui, pour sa
merveilleuse influence, soit plus profitable que le travail des champs.
Ce travail, objectera-t-on, n'est guère accessible à la jeunesse stu-
dieuse, en temps ordinaire. Mais souvenez-vous qu'il y a les vacances ! Heureux celui qui alors peut s'enfuir où se déroulent les
paysages champêtres et qui a quelque parent à qui il peut demander

de l'initier aux secrets de la campagne. Si vous êtes anémiés ou énervés par la grande ville, allez vivre aux champs ; bien qu'il paraisse pénible, le travail de la terre vous revigorera et, les jours d'octobre venus, vous sentirez une énergie nouvelle circuler dans vos veines.

*230.　　　　　*La Campagne de Russie en 1812.*

Tout disparaît sous la blancheur universelle. Les soldats sans chaussure sentent leurs pieds mourir ; leurs doigts violâtres et roidis laissent échapper le mousquet dont le toucher brûle ; leurs cheveux se hérissent de givre, leurs barbes, de leur haleine congelée ; leurs méchants habits deviennent une casaque de verglas. Ils tombent, la neige les couvre ; ils forment sur le sol de petits sillons de tombeaux. On ne sait plus de quel côté les fleuves coulent ; on est obligé de casser la glace pour apprendre à quel orient il faut se diriger. Égarés dans l'étendue, les divers corps font des feux de bataillon pour se rappeler et se reconnaître, de même que des vaisseaux en péril tirent le canon de détresse.

Chateaubriand.

*231.　　　　　*Phrases détachées.*

1. Il est beaucoup plus sûr d'obéir que de commander. — 2. Donner sa vie, quand il le faut, c'est le suprême sacrifice, à condition qu'on sache bien le prix de ce qu'on donne et qu'on ne le donne que pour une cause dont la grandeur soit incontestable. — 3. Le philosophe s'étonne que le spectacle des milles choses prodigieuses qu'a inventées la science moderne nous soit familier au point qu'elles ne nous frappent pas plus que si les hommes en avaient toujours joui ; l'idée que naguère ces choses merveilleuses étaient inconnues ne nous vient même pas à l'esprit. — 4. Qui veut voyager loin ménage sa monture. — 5. Que vous servirait d'avoir cette belle intelligence et ces belles qualités que vos parents et vos maîtres, vous le savez, ont cultivées en vous, si vous vous laissiez aller à la paresse ?

*232.　　　　　*La Cloche.*

Il est amer et doux pendant les nuits d'hiver
D'écouter près du feu qui palpite et qui fume
Les souvenirs lointains lentement s'élever
Au bruit des carillons qui chantent dans la brume.

Bienheureuse la cloche au gosier vigoureux
Qui malgré sa vieillesse, alerte et bien portante,
Jette fidèlement son cri religieux
Ainsi qu'un vieux soldat qui veille sous la tente !

Ch. BAUDELAIRE.

*233. L'Héroïsme des petits devoirs.

Partout, affirment les moralistes, il y a place pour l'héroïsme, car partout il y a place pour le devoir. Quoique la plupart des gens se convainquent que l'héroïsme véritable est celui qui élève subitement et violemment la nature humaine au-dessus d'elle-même, il y a un héroïsme obscur dont on voit la trame unie se dérouler tranquillement quand on examine la suite des petits mérites et des petits sacrifices quotidiens du bon ouvrier, du fonctionnaire consciencieux, de la ménagère diligente. Cet héroïsme-là est souvent ignoré, mais il est digne qu'on l'admire, parce qu'il atteste l'obéissance à ce principe très noble que le devoir est la grande règle de la vie.

*234. Un Persan à Paris au XVIIIᵉ siècle.

Les habitants de Paris sont d'une curiosité qui va jusques à l'extravagance. Lorsque j'arrivai, je fus regardé comme si j'avais été envoyé du ciel : vieillards, hommes, femmes, enfants, tous voulaient me voir. Si je sortais, tout le monde se mettait aux fenêtres ; si j'étais aux Tuileries, je voyais aussitôt un cercle se former autour de moi... Si j'étais aux spectacles, je trouvais d'abord cent lorgnettes dressées contre ma figure : enfin jamais homme n'a tant été vu que moi. Je souriais quelquefois d'entendre des gens qui n'étaient presque jamais sortis de leur chambre, qui disaient entre eux : « Il faut avouer qu'il a l'air bien persan ».

MONTESQUIEU.

*235. Phrases détachées.

1. Quand un homme s'humilie de ses défauts, il apaise aisément les autres et se concilie sans peine ceux qui sont irrités contre lui. — 2. Bien que personne d'entre vous n'ignore la nécessité du travail

et les dangers auxquels vous exposerait la paresse, qui est, comme chacun sait, la mère de tous les vices, je crois bon de vous rappeler que l'effort quotidien et persévérant est la vraie condition du succès, afin que ce principe vous aide à terminer avec honneur cette année scolaire que vous avez si bien commencée. — 3. Un homme n'admet guère qu'il soit orgueilleux, ou emporté, ou paresseux ; il vous donne volontiers la preuve qu'il a raison ; quoique sa conscience lui reproche souvent ses fautes, il a de lui-même une opinion si avantageuse qu'il ne s'avoue pas ses faiblesses ; à cela s'ajoute qu'il ne fait rien pour se corriger.

*236.   *Namur et son confluent.*

Namur est un présent du fleuve, parce que, depuis toujours, les hommes ont aimé à se réfugier dans ce réduit naturel que déterminent deux voies d'eau qui se coupent. Or il se fait qu'à Namur, la Sambre, dans le moment même qu'elle touche la Meuse, la dévie en quelque sorte, la détourne vers le Nord-Est, par un immense coude qui est dans le prolongement même de sa propre ligne d'eau noire. Malgré cela, d'ailleurs, malgré cette latitude et cet angle qui tend vers l'obtus, les maisons se sont épaulées, toit contre toit. Entre sa quadruple enceinte de bastions, percés de portes à barbacanes, Namur s'était blottie, eût-on dit, vers le confluent.

F. Desonay.

*237.   *Le Dimanche à vêpres...*

Aux vêpres de mon enfance, vous savez, nous n'étions pas si sages que l'un de nous, parfois, ne vidât la planche au bout du banc, et que les « gentils » eux-mêmes ne se livrassent au jeu tranquille que je vais dire. « Racrapotés » épaules contre épaules, à deux, à trois, nos pieds grippant l'agenouilloir commun, nous feuilletions nos livres de messe et nous « les » regardions. Je veux dire qu'on se passait de mains en mains les images qui commençaient à bourrer nos missels-vespéraux. Et ce qui peut tenir de puissance de rêve dans une image en noir ou en couleurs, je le sais depuis ce temps-là...

A. Soreil.

*238.   *La Chèvre de Monsieur Seguin.*

Ah ! Gringoire, qu'elle était jolie la petite chèvre de M. Seguin !
qu'elle était jolie avec ses yeux doux, sa barbiche de sous-officier,
ses sabots noirs et luisants, ses cornes zébrées et ses longs poils
blancs qui lui faisaient une houppelande ! C'était presque aussi
charmant que le cabri d'Esmeralda, tu te rappelles, Gringoire ? —
et puis, docile, caressante, se laissant traire sans bouger, sans mettre
son pied dans l'écuelle. Un amour de petite chèvre...

M. Seguin avait derrière sa maison un clos entouré d'aubépines.
C'est là qu'il mit la nouvelle pensionnaire. Il l'attacha à un pieu, au
plus bel endroit du pré, en ayant soin de lui laisser beaucoup de
corde, et de temps en temps il venait voir si elle était bien. La
chèvre se trouvait très heureuse et broutait l'herbe de si bon cœur
que M. Seguin était ravi.

A. Daudet.

*239.   *Phrases détachées.*

1. A cœur vaillant rien d'impossible. — 2. La variété et la beauté
des sites de notre pays sont telles qu'il n'est pas nécessaire que nous
allions à l'étranger si nous voulons admirer les tableaux de la nature.
— 3. Vous êtes ce que vous êtes, et tout ce que les flatteurs pourront
dire ne vous fera pas plus grand que vous êtes ; demandez-vous
plutôt à vous-même si vous êtes vertueux et si vous avez fait des
efforts pour devenir meilleur ; souvenez-vous que la plupart des
louanges ne sont que des mensonges complaisants. — 4. Comme
les lois ont été établies afin que le droit fût strictement respecté, le
bon citoyen ne les viole jamais et empêche, chaque fois qu'il le
peut, le désordre, qui est la ruine de toutes les sociétés. — 5. Que
vous vous abandonniez à la paresse m'afflige, et mon opinion est
que vous risquez de compromettre votre avenir.

*240.   *Le Bon Goût au foyer.*

Il n'est pas douteux que nous ne puissions introduire à peu de
frais un certain art dans nos demeures. Trop de gens ont le sentiment que la beauté est inséparable du luxe ; un peu de vanité
les poussant, ils recherchent le faux luxe, qui est si contraire à
la beauté. La vérité est que l'art peut habiter le plus modeste

logis, à condition que ce logis soit propre : la propreté, a-t-on dit, est l'élégance du pauvre. Que les meubles soient peu nombreux et peu chers n'importe guère ; la demeure sera accueillante, pourvu qu'ils soient placés dans un ordre harmonieux et que quelques ornements y ajoutent un peu de grâce : quand la maîtresse de maison aura habilement disposé quelques fleurs sur une table et suspendu aux murs quelques jolies gravures, on verra la chambre prendre un aspect aimable ; la journée terminée, la famille s'y trouvera heureuse.

*241.   *Des Graines terribles.*

Sur la planète du petit prince, il y avait comme sur toutes les planètes, de bonnes et de mauvaises herbes. Par conséquent de bonnes graines de bonnes herbes et de mauvaises graines de mauvaises herbes. Mais les graines sont invisibles. Elles dorment dans le secret de la terre jusqu'à ce qu'il prenne fantaisie à l'une d'elles de se réveiller. Alors elle s'étire, et pousse d'abord timidement vers le soleil une ravissante petite brindille inoffensive. S'il s'agit d'une brindille de radis ou de rosier, on peut la laisser pousser comme elle veut. Mais s'il s'agit d'une mauvaise plante, il faut arracher la plante aussitôt, dès qu'on a su la reconnaître. Or il y avait des graines terribles sur la planète du petit prince... c'étaient les graines de baobabs. Le sol de la planète en était infesté. Or un baobab, si l'on s'y prend trop tard, on ne peut jamais plus s'en débarrasser. Il encombre toute la planète. Il la perfore de ses racines. Et si la planète est trop petite, et si les baobabs sont trop nombreux, ils la font éclater.

A. de SAINT-EXUPÉRY (*Le Petit Prince*, Gallimard, éd.).

*242.   *Après la classe.*

Quatre heures. Les bambins s'échappent de l'école,
Las d'avoir entendu muser la brise folle, —
Si près, par la fenêtre ouverte — et bavarder
Les moineaux qui n'ont pas le silence à garder.
Adieu les bancs ! L'ardoise au bras, en ribambelles
Le long des vergers clos où coings et mirabelles
Sucrent l'air tout vibrant d'appels de loriots,
Ils font, sur les cailloux, claqueter leurs sabots,

Puis se perdent au fond des sentiers d'émeraude,
En combinant entre eux maints projets de maraude.

Ad. HARDY.

*243.   *Quand j'étais écolier.*

Je vais vous dire ce que me rappellent, tous les ans, le ciel agité
de l'automne, les premiers dîners à la lampe et les feuilles qui
jaunissent dans les arbres qui frissonnent ; je vais vous dire ce que je
vois quand je traverse le Luxembourg dans les premiers jours d'octobre, alors qu'il est un peu triste et plus beau que jamais ; car c'est
le temps où les feuilles tombent une à une sur les blanches épaules
des statues. Ce que je vois alors dans ce jardin, c'est un petit bonhomme qui, les mains dans les poches et sa gibecière au dos, s'en
va au collège en sautillant comme un moineau.

A. FRANCE.

*244.   *Phrases détachées.*

1. Si tu me dis qui tu hantes, je te dirai qui tu es. — 2. Il est
bon que nous ayons quelquefois des peines et des contrariétés,
parce que souvent elles nous rappellent que nous ne devons pas
mettre dans les choses de ce monde des espérances exagérées. —
3. La preuve qu'on s'habitue aux merveilles, c'est la sérénité
avec laquelle nous considérons aujourd'hui certaines inventions
qui ne datent guère que de quelques dizaines d'années. — 4. Une
journée de pluie a cela d'excellent qu'elle nous tient enfermés chez
nous et qu'elle peut nous procurer l'occasion, si nous sommes un
peu philosophes, de réfléchir sur des vérités qui ne retiennent guère
notre attention lorsque nous nous trouvons entraînés dans les remous
de la vie moderne. — 5. Quelque méchants que soient les hommes,
ils n'oseraient paraître ennemis de la vertu ; et lorsqu'ils la veulent
persécuter, ils feignent de croire qu'elle est fausse ou ils lui supposent
des crimes. (La Rochefoucauld.)

*245   *Soir.*

Le ciel comme un lac d'or pâle s'évanouit ;
On dirait que la plaine, au loin déserte, pense ;
Et dans l'air élargi de vide et de silence
S'épanche la grande âme triste de la nuit.

Pendant que çà et là brillent d'humbles lumières,
Les grands bœufs accouplés rentrent par les chemins ;
Et les vieux en bonnet, le menton sur les mains [1],
Respirent le soir calme aux portes des chaumières.

Le paysage, où tinte une cloche, est plaintif
Et simple comme un doux tableau de primitif,
Où le Bon Pasteur mène un agneau blanc qui saute.

Les astres au ciel noir commencent à neiger,
Et là-bas, immobile au sommet de la côte,
Rêve la silhouette antique d'un berger.

A. Samain.

*246. *Le Vieux Taupier.*

Il faut que je vous présente le vagabond-type, vivant dans la légende de ces parages : Jan de Klare, le taupier. On l'a toujours connu vieux. Était-ce Ahasvérus essayant d'une profession un peu plus sédentaire ? Les « anciens » mêmes n'ont pu me dire d'où il est venu. Jan était un grand maigre, vêtu de trous, coiffé d'un feutre verdi. Pareil à un épouvantail, qui, fatigué de sa faction immobile, se serait mis à faire les cent pas, on le voyait arpenter les labours, à longues foulées, pour surprendre les taupes. Ces taupes, qu'il faisait « jaillir » de leur dernière taupinée à l'aide de sa preste baguette, il les liait par la patte, sans les tuer, allait trouver le propriétaire du champ, lui réclamait un prix raisonnable : quatre sous la pièce. Le fermier était-il assez malavisé pour refuser le marché, Jan s'éloignait sans mot dire, retournait au champ, piquait une épingle dans la queue de ses taupes et les rendait à leur besogne de foreuses, qu'elles reprenaient avec un zèle vengeur. On dit que jamais fermier ne refusa deux fois au taupier son salaire.

C. Melloy.

*247. *La Campine.*

La Campine a toujours plu à quiconque aime la solitude et le rêve. Quelques-uns diront qu'elles est bien monotone. Je les laisse dire ; pour moi, elle a une gravité si sereine qu'elle m'émeut toujours pro-

---

1. Pour l'analyse de *le menton sur les mains,* voir § 78, 4°.

fondément. Sûr qu'elle me dispensera un calme reposant, je vais me retremper chaque année dans ses paysages silencieux, qui apaisent si bien les agitations de l'âme. La Campine, je le crois, est bonne à qui souffre d'une grande douleur morale ; elle lui offre, semble-t-il, ce précieux avantage qu'elle transforme la tristesse amère en une douce mélancolie.

Quoique de grandes routes rectilignes la traversent, où l'on voit ramper quelque tramway vicinal et bien que de hautes cheminées attentent, en certaines régions, à la tranquillité de ses horizons, la Campine garde encore de larges réserves de solitude.

Septembre venu, j'aime contempler sa bruyère qui s'étend comme une mer aux vagues chatoyantes et dont les dernières ondulations viennent mourir tout là-bas au pied de dunes qui tranchent sur le ciel comme des bastions ravagés de quelque antique citadelle. J'aime surtout ses bois de sapins où çà et là un bouleau met la note gaie de son écorce argentée.

D'après F. VAN DEN BOSCH.

*248.   *Phrases détachées.*

1. Quand nous craignons un danger, souvent nous ne voulons pas croire qu'il nous menace, et souvent aussi, par faiblesse, nous croyons trop facilement qu'il va nous frapper. — 2. Notre ignorance va si loin que parfois nous ignorons nos propres dispositions ; on se persuade si difficilement qu'on est orgueilleux, ou lâche, ou paresseux ! — 3. Quoique notre conscience nous reproche nos fautes, nous aimons mieux étourdir le sentiment que nous avons que d'avoir le chagrin de les connaître.

TABLEAU RÉCAPITULATIF :

NATURE ET ESPÈCES	FORMES
NOM commun : *table.* propre : *Belgique.*	Genre : masculin — féminin. Nombre : singulier — pluriel.
ARTICLE défini : *le, la, les.* indéfini : *un, une.* partitif : *du, de la, de l', des.*	Élidé : *l'.* — Contracté : *du, des,* *au, aux.* Genre : masculin — féminin. Nombre : singulier — pluriel.
ADJECTIF qualificatif : *grand.* numéral cardinal: *dix ;* – ordinal: *dixième.* possessif : *mon, ton, son, notre...* démonstratif : *ce, cet, cette, ces.* relatif : *lequel* (pré), *laquelle* (somme)... interrogatif (ou exclam.) : *quel...? quel...!* indéfini : *aucun, chaque, tout* (homme)...	Genre : masculin — féminin. Nombre : singulier — pluriel. Personne (pour les adjectifs pos- sessifs).

PRONOM
personnel : *je, tu, il, nous, vous, ils...*
possessif : *le mien, le tien, le sien...*
démonstratif : *ce, ceci, cela, celui-ci...*
relatif : *qui, que, quoi, dont, lequel...*
interrogatif : *qui... ? que... ? lequel... ?*
indéfini : *autrui, chacun, on, personne...*
	Genre : masculin — féminin —
	  neutre.
	Nombre : singulier — pluriel.
	Personne (pour les pron. per-
	  sonnels, relatifs, indéfinis).
	N. B. — Pour les pronoms relatifs,
	  on dit quel est l'*antécédent.*

VERBE
verbe copule (L'homme *est* mortel).
»   transitif direct (J'*aime* ma mère).
»   »   indirect (J'*obéis* à ma mère).
»   intransitif (Le printemps *arrive*).
»   pronominal (Je *me blesse*).
»   impersonnel (Il *pleut.* Il *faut...*)
	Voix : active — passive.
	Mode : indic. — condit. — impér. —
	  subj. — infin. — partic. — gérond.
	Temps : prés. — imparf. — passé s.
	  — passé c. — p.-q.-p. — passé
	  ant. — fut. s. — fut. du pas. —
	  fut. ant. — fut. ant. du passé.
	Personne et nombre.

ADVERBE (ou locution adverbiale) de manière : *lentement, soigneusement...* de quantité ou d'intensité : *assez, très...* de temps : *alors, autrefois, bientôt...* de lieu : *ailleurs, autour, ici, là...* d'affirmation : *oui, assurément...* de négation : *non, ne, ne... pas...* de doute : *apparemment, peut-être...*	
PRÉPOSITION (ou loc. prépositive) *à, de, dans, contre, par, pour, afin de...*	
PRÉSENTATIF: *voici, voilà.*	
CONJONCTION (ou loc. conjonctive) de coordination : *et, ou, ni, mais, car, or,* *donc, cependant, toutefois, néanmoins...* de subordination : *que, quand, comme...*	
INTERJECTION	

ANALYSE DES MOTS

FONCTIONS

Sujet du verbe : *La* paresse *avilit.*
Compl. d'obj. (direct ou indirect) : *J'aime ma* mère. *J'obéis à mes* parents.
Attribut (du suj. ou de l'obj.) : *L'or est un* métal. *On nomma Cicéron* consul.
Apposition : *Le lion,* roi *des animaux, tint conseil.*
Mis en apostrophe : **Poète,** *chante la gloire de la patrie !*
Complément circonstanciel du verbe : *Il se lève le* matin, *il va aux* champs.
Complément d'agent du verbe passif : *L'accusé est interrogé par le* juge.
Complément déterminatif du nom ou du pronom : *La capitale du* royaume.
Complément de l'adjectif : *Un élève certain du* succès.
Compl. de l'adv. : *Conformément à la* loi.
Compl. de l'interj. : *Gare la* cage !
Compl. du présentatif : *Voici le* jour.

Déterminatif de tel nom.

Pour l'adjectif qualificatif :
    épithète de tel nom : *Un homme* juste.
    épithète détachée : *Les écoliers,* joyeux, *applaudissent.*
    attribut du sujet : *La vertu est* aimable.
    attribut du complément d'objet : *Je trouve ce livre* intéressant.
Pour les autres adjectifs :
    déterminatif de tel nom (ou pronom).

Mêmes fonctions que le *nom.*

Base de la phrase ou de la proposition. (N'appliquer le terme *base* à l'infinitif
    que lorsque celui-ci a un sujet propre.)
N. B. — Un *infinitif* peut être : sujet, attribut, objet (direct ou indirect),
    complément circonstanciel, complément déterminatif, complément de
    l'adjectif, complément du présentatif.

Complément de tel verbe, ou de tel adjectif, ou de tel adverbe, ou de telle
    préposition, ou de telle conjonction de subordination.
N. B. — L'adverbe peut être complément circonstanciel.

Unit tel mot à tel autre.

Pour la conjonction de *coordination :* unit tel terme à tel autre [de *même
    fonction*] ou telle proposition à telle autre [de *même fonction*].
Pour la conjonct. de *subordination :* unit telle propos. subordonnée à telle
    base de la phrase ou de la proposition.

TABLEAU RÉCAPITULATIF :

ESPÈCES	FONCTIONS	
I. Propos. INDÉPENDANTE » incidente II. Propos. PRINCIPALE		
	1º Sujet :	
	2º Attribut :	
	3º Apposition :	
	4º Complément d'objet (direct ou indirect) :	
III. Propos. SUBORDONNÉE	5º Complément circonstanciel	1. de temps : 2. de cause : 3. de but : 4. de conséquence : 5. d'opposition : 6. de condition : 7. de comparaison : 8. de lieu : 9. d'addition : 10. de restriction : 11. de manière :
	6º Complément d'agent :	
	7º Complément de nom ou de pronom (= subordonnées relatives) a) complément déterminatif : b) complément explicatif :	
	8º Complément d'adjectif :	
	9º Proposition participe Équivaut à un complément circonstanciel (temps, cause, opposition, condition) :	

ANALYSE DES PHRASES

MOTS SUBORDONNANTS	EXEMPLES
	La paresse dégrade l'homme. *L'honneur,* vous le savez, *est précieux.* On perd tout *quand on perd l'honneur.*
Conjonction *que* » *que, si, comme, quand...* Pronom relatif indéf. *qui* ou *quiconque* Pas de mot subordonnant (prop. infin.)	*Il faut* que l'on travaille. Que tu aies agi ainsi *t'honore.* Qui veut la fin *veut les moyens.* Un fils insulter sa mère, *cela est odieux.*
Conjonction *que* Pron. relatif indéf. *qui* (= celui que), *quoi* précédé d'une prépos. ; pr. rel. *qui*	*Mon avis est* que tu as raison. *Le coupable n'est pas* qui vous croyez. *C'est à quoi je pensais. Il est là qui dort.*
Conjonction *que* (= à savoir que) Pronom relatif *qui* (plus est)...	*Blâme ce principe* que la force prime tout. Il marche et, qui plus est, *il court.*
Conjonction *que (à ce que, de ce que)* Pron. rel. indéf. *qui* ou *quiconque* Mot interrogatif : *si, qui, quel, quand...* Pas de mot subordonnant (prop. infin.)	*Je crois* que le travail ennoblit. *Aimez* qui vous aime. *Dis-moi* qui tu es. *J'entends* les oiseaux chanter.

1. Conjonct. *quand, dès que...*
2.   »   *comme, parce que, puisque....*
3.   »   *afin que, pour que...*
4.   »   (*si..., tant..., tel...*) *que,*
        au point que, de façon que...
5.   »   *bien que, quoique, quelque...*
6.   »   *si, à condition que...*
7.   »   *comme,* (aussi..., autre, au-
        trement, plus...) *que...*
8.   »   *où, d'où, par où, jusqu'où,...*
 	
9.   »   *outre que*
10.   »   *sauf que, excepté que...*
11.   »   *comme, sans que, que... ne*
	Quand le printemps vient, *tout rit.*
	Persévérez, parce que le devoir l'exige.
	Pardonne, afin qu'on te pardonne.
	Il est si faible qu'il peut à peine marcher.
	Approche, de façon qu'on te voie.
	Il est économe, bien qu'il soit riche.
	Si tu manges de ce fruit, *tu mourras.*
	On meurt comme on a vécu. — *Il agit*
	    autrement *qu'il ne parle.*
	Où la guêpe a passé, *le moucheron*
	    demeure.
	Outre qu'il est intelligent, *il est zélé.*
	Ils sont pareils, sauf que l'un est plus gros.
	Je le ferai sans qu'on le commande.

Pron. relat. indéfini *qui* ou *quiconque* (précédé de *par* ou *de*)	*Cette maison sera habitée* par qui la construira.

Pronom relatif	*a) La modestie* qui se plaît à être louée
	    est de l'orgueil.
	b) La modestie, qui donne au mérite un
	    si beau relief, *sied aux grands hommes.*

Conjonction *que (de ce que)* Pron. rel. indéf. *qui* ou *quiconque* (précédé d'une préposition)	*C'est un homme digne* qu'on le confonde. *Les hommes ingrats envers* qui les a obligés *méritent d'être blâmés.*
Pas de mot subordonnant	Dieu aidant, *nous vaincrons.* La bise venue, *la cigale se trouva fort* *dépourvue.*

TABLE DES MATIÈRES

TROISIÈME PARTIE

ANALYSE DES PHRASES

FONCTIONS DES PROPOSITIONS SUBORDONNÉES

184 TABLE DES MATIÈRES

Appendice :